BÜZZ

A MULHER EM MIM

BRITNEY SPEARS

TRADUÇÃO
Cristiane Maruyama

Copyright © 2023, Britney Jean Spears
Copyright © 2023, Buzz Editora
Todos os direitos reservados.

Título original: *The Woman in Me*

Publisher *Anderson Cavalcante*
Editora-executiva *Tamires von Atzingen*
Analistas editoriais *Érika Tamashiro e Fernanda Felix*
Revisão *Francisco Sugna e Paula Queiroz*
Consultoria *Céfara Moraes*
Projeto gráfico *Jaime Putorti*
Adaptação do projeto gráfico e composição *Estúdio Grifo*
Assistentes de design *Letícia Zanfolim e Stephanie Y. Shu*
Fotografia de capa *Herb Ritts / Trunk Archive*

Nesta edição, respeitou-se o novo Acordo Ortográfico da Língua Portuguesa.

Dados Internacionais de Catalogação na Publicação (CIP)
(Câmara Brasileira do Livro, SP, Brasil)

Spears, Britney
A mulher em mim / Britney Spears
Tradução: Cristiane Maruyama
São Paulo, Buzz Editora, 2023
280 pp.

Título original: *The Woman in Me*
ISBN 978-65-5393-257-9

1. Cantoras – Estados Unidos – Autobiografia
2. Música I. Título

23-171048

Índice para catálogo sistemático:
1. Cantoras: Estados Unidos: Biografia   782.42166092
Eliane de Freitas Leite, Bibliotecária, CRB–8/8415

Todos os direitos desta edição reservados à:
Buzz Editora Ltda.
Av. Paulista, 726, Mezanino
CEP 01310-100, São Paulo, SP
[55 11] 4171 2317
www.buzzeditora.com.br

Para os meus meninos, amores da minha vida.

A MULHER EM MIM

PRÓLOGO

Quando eu era criança, costumava caminhar sozinha por horas pela floresta silenciosa que ficava atrás da minha casa na Louisiana, cantando. Estar fora de casa me dava uma sensação de vivacidade e perigo. Enquanto eu crescia, minha mãe e meu pai brigavam constantemente. Ele era alcoólatra. Eu geralmente sentia medo dentro de casa. Lá fora também não era necessariamente o paraíso, mas era o meu mundo. Sendo céu ou inferno, era meu.

Antes de ir para casa, eu percorria um caminho até a casa dos nossos vizinhos, através de um jardim com paisagismo e depois passando por uma piscina. Eles tinham um jardim repleto de pequenas dolomitas que retinham o calor de tal forma que era bom senti-las contra minha pele. Eu me deitava sobre elas e olhava para o céu, sentindo o calor que vinha de cima e de baixo, pensando: *Eu posso seguir meu próprio caminho na vida. Eu posso tornar meus sonhos realidade.*

Deitada em silêncio sobre aquelas pedras, senti Deus.

1

As crianças no Sul dos Estados Unidos costumavam ser educadas para respeitar seus pais e manter a boca fechada. (Hoje as regras foram invertidas — giram mais em torno do respeito pelas crianças.) Discordar de um dos pais nunca foi permitido na minha casa. Não importa quão ruim as coisas ficassem, havia o entendimento de que se devia ficar calada e, caso contrário, haveria consequências.

A Bíblia diz que a língua é uma espada.

Minha língua e minha espada eram eu cantando.

Durante toda a minha infância, cantei: com o rádio do carro a caminho da aula de dança, quando estava triste. Para mim, cantar era espiritual.

Nasci e estudei em McComb, Mississippi, e morei em Kentwood, Louisiana, a quarenta quilômetros de distância.

Todo mundo se conhecia em Kentwood. As portas não ficavam trancadas, a vida social girava em torno da igreja e das festas nos quintais, as crianças usavam roupas iguais, e todo mundo sabia atirar. O local histórico mais conhecido era o Camp Moore, um campo de treinamento confederado construído por Jefferson Davis. Todos os anos há reencenações da Guerra Civil no fim de semana que antecede o Dia de Ação de Graças, e ver as pessoas vestindo trajes militares era um lembrete de que o feriado estava chegando. Eu amava essa época do ano: chocolate quente, o cheiro da lareira em nossa sala de estar, as cores das folhas de outono caídas no chão.

Tínhamos uma casinha de tijolos com papel de parede listrado de verde e painéis de madeira. Quando menina, eu ia ao Sonic, andava de kart, jogava basquete e frequentava uma escola católica chamada Parklane Academy.

A primeira vez que me emocionei de verdade e senti arrepios na espinha foi ao ouvir nossa governanta cantando na lavanderia. Eu sempre lavava e passava a roupa da família, mas quando as coisas estavam melhores financeiramente, minha mãe contratava alguém para ajudar. A governanta cantou música gospel, e foi literalmente um despertar para um mundo totalmente novo. Nunca me esquecerei disso.

Desde então, meu desejo e minha paixão por cantar cresceram. Cantar é mágico. Quando canto, sou dona de mim mesma. Posso me comunicar perfeitamente. Ao cantar, você não usa mais a língua do "Oi, como você está…". Você é capaz de dizer coisas muito mais profundas. Cantar me leva a um lugar místico onde a linguagem não importa mais, onde qualquer coisa é possível.

Tudo o que eu queria era que me tirassem do mundo cotidiano e me levassem a um reino onde eu pudesse me expressar sem pensar. Quando estava sozinha, minha mente era tomada por preocupações e medos. A música interrompia o barulho, fazia eu me sentir confiante e me levava a um lugar puro para eu me expressar exatamente como desejava ser vista e ouvida.

Cantar me levava à presença do divino. Enquanto estava cantando, eu ficava meio fora do mundo. Estaria brincando no jardim como qualquer criança, mas meus pensamentos e sentimentos e esperanças se mantinham em outro lugar.

Trabalhei arduamente para fazer as coisas do jeito que eu queria. Eu me levava muito a sério quando gravava vídeos bobos cantando as músicas da Mariah Carey no quintal da minha amiga. Aos oito anos, eu pensava que era uma diretora. Ninguém na minha cidade parecia estar fazendo coisas do tipo. Mas eu sabia o que queria ver no mundo, e tentei fazê-lo.

Os artistas realizam coisas e interpretam personagens porque querem fugir para mundos distantes, e isso era exatamente do que eu precisava. Eu queria viver dentro dos meus sonhos, meu maravilhoso mundo fictício e, se pudesse evitar, não pensar na realidade. Cantar aproximava o real e a fantasia, o mundo em que eu vivia e o que eu queria desesperadamente habitar.

A tragédia faz parte da minha família. Meu nome do meio é o mesmo da mãe do meu pai, Emma Jean Spears — mais conhecida como Jean. Ao ver as fotos dela, entendi por que todo mundo dizia que éramos parecidas. O mesmo cabelo loiro. O mesmo sorriso. Ela parecia mais jovem do que era de fato.

Seu marido, June Spears Sr., meu avô, era um homem abusivo. Jean perdeu um filho recém-nascido com apenas três dias de vida. June mandou Jean para o Hospital de Southeast Louisiana, um manicômio horroroso em Mandeville, onde Jean era medicada com lítio. Em 1966, aos 31 anos, minha avó Jean se matou com um tiro diante do túmulo de seu filho, oito anos após o falecimento dele. Não consigo imaginar a dor que ela deve ter sentido.

No Sul, a maneira como as pessoas se referem a homens iguais a June é dizendo "nada nunca era bom o suficiente para ele", que era "um perfeccionista", ou "um pai muito comprometido". Eu provavelmente teria dito coisas mais rudes que essas.

Fanático por esportes, June fazia meu pai treinar até a exaustão. Todos os dias, depois de terminar o treino de basquete, não importava o quanto estivesse cansado ou com fome, meu pai ainda tinha que fazer cem lances livres antes de poder entrar em casa.

June era policial do Departamento de Polícia de Baton Rouge e acabou tendo dez filhos com três esposas diferentes. E até onde sei, ninguém tinha algo bom a dizer sobre seus primeiros cinquenta anos de vida. Até na minha família, comentava-se que os homens Spears tendiam a ser problemáticos, principalmente quanto ao modo como tratavam as mulheres.

Jean não foi a única esposa que June mandou para o hospital psiquiátrico em Mandeville. Também internou a segunda esposa lá. Uma das meias-irmãs do meu pai disse que, quando ela tinha onze anos, June começou a abusar sexualmente dela, até ela fugir aos dezesseis.

Meu pai tinha treze anos quando Jean morreu naquele túmulo. Sei que o trauma, em parte, explica o jeito que ele agia com os meus irmãos e comigo; do porquê nada nunca era bom o bastante para ele. Meu pai forçou meu irmão a ser o melhor nos esportes. Meu pai bebia até não conseguir pensar mais. Uma vez desapareceu durante dias. Quando ele estava bêbado, era extremamente malvado.

Mas June melhorou depois de envelhecer. Eu não convivi com o homem que abusou do meu pai e dos irmãos dele, mas com um avô que parecia tranquilo e gentil.

O mundo do meu pai e o da minha mãe eram completamente diferentes.

De acordo com minha mãe, a mãe dela — minha avó Lilian "Lily" Portell — vinha de uma elegante e sofisticada família londrina. Ela tinha uma aparência exótica sobre a qual todos comentavam; a mãe dela era britânica, e o pai tinha nascido em uma ilha mediterrânea chamada Malta. O tio dela trabalhava com encadernação. A família inteira tocava instrumentos e amava cantar.

Durante a Segunda Guerra Mundial, Lily conheceu um soldado americano, meu avô Barney Bridges, em um baile para soldados. Ele era o motorista dos generais e amava dirigir em alta velocidade.

No entanto, ela ficou desapontada quando ele a levou para os Estados Unidos. Ela havia imaginado que viveria como em Londres. À medida que adentrava as suas fazendas produtoras de leite em Nova Orleans, Lily observou, de dentro do carro, como o mundo de Barney parecia vazio. "Onde estão todas as luzes?", ela perguntava insistentemente ao marido.

Às vezes, penso em Lily transitando pelo interior do estado da Louisiana, observando a noite, se dando conta de que sua vida grande, vibrante, cheia de música e museus e chás da tarde londrinos estava prestes a se tornar pequena e difícil. Em vez de ir ao teatro ou comprar roupas, ela passaria a vida presa no interior, cozinhando e limpando e ordenhando vacas.

Então minha avó se fechou, leu uma tonelada de livros, tornou-se obcecada por limpeza e sentiu falta de Londres até o dia de sua morte. Minha família contou que Barney não queria deixá-la voltar para Londres porque achava que, se ela fosse, não retornaria para casa.

Minha mãe disse que Lily ficava tão perdida em seus próprios pensamentos que tirava a mesa antes que todos terminassem de comer.

Tudo o que eu soube foi que minha avó era linda, e eu amava imitar seu sotaque britânico. Falar com esse sotaque sempre me deixou feliz, pois me faz lembrar dela, da minha avó estilosa. Eu queria ter os modos e a voz cadenciada dela.

Como Lily tinha dinheiro, minha mãe, Lynne, seu irmão, Sonny, e sua irmã, Sandra, tiveram o que você pode chamar de vida abastada enquanto cresciam, especialmente para a região rural da Louisiana. Embora fossem protestantes, minha mãe frequentava a escola católica. Era uma adolescente linda, com cabelos pretos curtos. Sempre ia à escola usando botas de cano alto e saias bem curtas. Minha mãe saía com os caras gays da cidade, que lhe davam carona em suas motos.

Meu pai ficou interessado nela, como não ficaria? Em parte, talvez, porque June exigia que se esforçasse absurdamente, meu pai era incrivelmente talentoso nos esportes. As pessoas vinham de longe apenas para vê-lo jogar basquete.

Minha mãe o viu e disse: "Ué, quem é esse cara?".

Pelo que diziam, o relacionamento deles nasceu de uma atração mútua e de um senso de aventura. Mas a lua de mel tinha acabado muito tempo antes de eu vir ao mundo.

2

Quando se casaram, meus pais moraram em uma pequena casa em Kentwood. Minha mãe não era mais sustentada pela família dela, então meus pais eram bem pobres. Eles eram jovens — minha mãe tinha 21 e meu pai, 23. Em 1977, tiveram meu irmão mais velho, Bryan. Ao se mudarem daquele pequeno lar, compraram uma pequena casa popular de três quartos.

Depois que Bryan nasceu, minha mãe voltou a estudar e se tornou professora. Meu pai, que era soldador em refinarias — trabalhos pesados que duravam um mês ou, às vezes, três meses —, começou a beber demais e não demorou muito até que começasse a descontar na família. De acordo com minha mãe, quando fazia alguns anos que ela e meu pai estavam casados, meu avô materno Barney, pai da minha mãe, morreu em um acidente de carro, e, depois disso, meu pai foi encher a cara e perdeu a primeira festa de aniversário do Bryan. Quando meu irmão ainda era pequeno, meu pai ficou bêbado em uma festa de Natal e sumiu na manhã seguinte. Minha mãe disse que estava cansada naquela época. Saiu de casa para ficar com Lily. Em março de 1980, ela deu entrada no processo de divórcio. Mas June e sua nova esposa imploraram para ela aceitar meu pai de volta, e ela aceitou.

Durante um tempo, aparentemente, as coisas se acalmaram. Meu pai trocou de emprego e abriu uma empresa de construção. Então, depois de muita luta, também abriu uma academia. Se chamava Total Fitness e transformou alguns homens da cidade, inclusive meus tios, em fisiculturistas. A academia ficava num estúdio à parte da nossa propriedade, ao lado de casa. Inúmeros homens musculosos entravam e saíam da academia, flexionando os músculos na frente dos espelhos sob as luzes fluorescentes.

Meu pai começou a se dar muito bem. Em nossa pequena cidade, ele se tornou um dos homens mais endinheirados. Minha família servia, em nosso jardim, cozido de lagostim.[1] Dava festas malucas e dançavam a noite toda. (Sempre presumi que o ingrediente secreto para ficarem acordados a noite toda era anfetamina, já que era a droga preferida na época.)

Minha mãe abriu uma creche com a irmã dela, minha tia Sandra. Para consolidar o casamento, meus pais tiveram um segundo bebê — eu. Nasci em 2 de dezembro de 1981. Minha mãe nunca perdeu a oportunidade de recordar que o trabalho de parto foi excruciante e durou 21 horas.

Eu amava as mulheres da minha família. Minha tia Sandra, que já tinha dois filhos, teve uma gravidez-surpresa aos 35 anos: minha prima Laura Lynne. Com apenas alguns meses de diferença, Laura Lynne e eu éramos como gêmeas e também melhores amigas.

---

1 No original, *crawfish boil*, prato típico da Louisiana. [N.E.]

Laura Lynne sempre foi como uma irmã para mim, e Sandra era uma segunda mãe. Ela tinha muito orgulho de mim e sempre me encorajava.

E mesmo que minha avó Jean tenha morrido muito antes do meu nascimento, eu tive a sorte de conhecer sua mãe, minha bisavó Lexie Pierce. Lexie era *incrivelmente* linda, sempre se maquiava, com a pele muito, muito branca e com os lábios muito, muito vermelhos. Ela era fodona, e ficou mais à medida que envelhecia. Me disseram, e não foi difícil de eu acreditar, que ela tinha se casado sete vezes. Sete! Obviamente, ela não gostava do genro June, mas depois que a filha dela, Jean, morreu, Lexie não se afastou e cuidou do meu pai e dos irmãos dele, e depois dos seus bisnetos também.

Eu e Lexie éramos muito próximas. As lembranças mais vívidas e felizes que tenho de quando era criança são de momentos que passei ao lado de Lexie. Fazíamos festas do pijama, só nós duas. À noite, ela me mostrava as maquiagens que ficavam em sua penteadeira. De manhã, Lexie preparava um café da manhã gigante. A melhor amiga dela, sua vizinha, ia nos visitar e ouvíamos as lentas baladas dos anos 1950 da coleção de vinis da Lexie. Durante o dia, eu e ela tirávamos sonecas juntas. Uma das coisas que eu mais amava era adormecer ao lado da Lexie, sentindo o cheiro do seu pó facial e do seu perfume, e ficar ouvindo sua respiração se acalmar até ficar rítmica e regular.

Um dia, Lexie e eu fomos alugar um filme. Assim que saímos da locadora, ela bateu em outro carro, ficando presa num buraco. Não conseguimos sair. Um guincho teve que ir nos resgatar. Aquele acidente assustou minha mãe. Dali em diante, não tive mais permissão para sair com minha bisavó.

"Nem foi um acidente grave!", falei para minha mãe. Implorei para continuar vendo Lexie. Era a minha pessoa favorita.

"Não, acho que ela está ficando senil", disse minha mãe. "Já não é seguro você ficar sozinha com ela."

Depois disso, eu a via na minha casa, mas não podia mais passear de carro ou fazer festas do pijama com ela. Foi uma perda enorme para mim. Eu não entendia por que estar com alguém que eu amava tanto era considerado algo perigoso.

Naquela idade, o que eu mais gostava de fazer, além de passar o tempo com Lexie, era me esconder nos armários. Virou uma piada na família "Cadê a Britney agora?". Eu sempre sumia na casa da minha tia. Todo mundo se juntava para me procurar. Quando estavam prestes a entrar em pânico, eles abriam a porta de um dos armários e lá estava eu.

Devo ter desejado que eles procurassem por mim. Durante anos eu gostava de fazer isto — de me esconder.

Me esconder era um modo de chamar atenção. O outro era cantar e dançar. Cantei no coral da nossa igreja e estudei dança três noites por semana e aos sábados. Então comecei a fazer aulas de ginástica em Covington, Louisiana, a uma hora de onde eu morava. Quando se tratava de dançar, cantar e fazer acrobacias, eu nunca me cansava.

No ensino fundamental, no dia das profissões, eu disse que queria ser advogada, mas os vizinhos e os professores começaram a dizer que meu "destino era a Broadway", e por fim aceitei a minha identidade como "a pequena artista".

Eu tinha três anos de idade em meu primeiro recital de dança e quatro quando fiz minha primeira apresentação solo de "What Child Is This?" em um evento de Natal na creche de minha mãe.

Eu queria me esconder, mas também ser vista. As duas coisas são verdade. Agachada na fria escuridão de um armário, eu me sentia tão pequena que poderia desaparecer. Mas com a atenção de todo mundo voltada para mim, eu me tornava outra pessoa, alguém que poderia comandar qualquer espaço. De meia-calça branca, cantando com toda a força, senti que tudo era possível.

3

"Senhora Lynne! Senhora Lynne", o menino gritou. Ele estava sem fôlego, o coração quase saindo pela boca, na frente da nossa porta. "Vocês precisam vir! Venham agora!"

Um dia, aos quatro anos de idade, eu estava na sala de estar da nossa casa, sentada no sofá com minha mãe de um lado e minha amiga Cindy do outro. Kentwood era como aquelas cidades de novelas — *sempre* havia drama. Cindy estava tagarelando com minha mãe sobre o escândalo mais recente enquanto eu só escutava, tentando acompanhar, quando a porta foi escancarada. A cara do menino bastou para sabermos que algo terrível tinha acontecido. Meu coração disparou.

Minha mãe e eu começamos a correr. A rua tinha acabado de ser pavimentada e eu estava descalça, correndo sobre o piche quente.

"Ai, ai, ai!", eu gritava a cada passo. Olhei para os meus pés e vi o piche grudado neles.

Finalmente, chegamos aonde meu irmão, Bryan, estava brincando com seus amigos da vizinhança. Eles tentaram cortar o mato alto em um terreno com seus quadriciclos. Essa ideia pareceu fantástica para eles porque eram idiotas. Inevitavelmente não conseguiram ver uns aos outros por causa do mato alto e acabaram batendo de frente.

Eu devo ter visto tudo, ouvido Bryan berrando de dor, minha mãe gritando de medo, mas não me lembro de nada. Acho que Deus fez eu desmaiar para que não me recordasse da dor e do pânico, ou do corpo todo machucado do meu irmão.

Um helicóptero o levou para o hospital.

Quando fui visitar Bryan alguns dias depois, ele estava inteirinho engessado. Pelo que pude ver, ele quebrou quase todos os ossos do corpo. E o detalhe que mais me impressionou, sendo criança, foi o meu irmão tendo que fazer xixi através de um buraco no gesso.

A outra coisa que não consegui deixar de notar foi que o quarto dele estava repleto de brinquedos. Meus pais ficaram tão gratos por ele ter sobrevivido e se sentiram tão mal por Bryan que, durante sua recuperação, todo dia era Natal. Minha mãe cuidou do meu irmão por se sentir culpada. Até hoje ela faz o que ele quer. É engraçado como uma fração de segundo pode mudar a dinâmica de uma família para sempre.

O acidente me aproximou muito mais do meu irmão. Nosso vínculo se formou a partir do meu sincero e genuíno reconhecimento de sua dor. Depois que Bryan voltou para casa, eu não saía do lado dele. Dormia ao lado dele todas as noites. Bryan ainda não conseguia dormir em sua própria cama porque o corpo inteiro estava engessado. Então ficava em uma cama especial e, aos pés dela, colocaram um colchão para mim. Às vezes, eu subia na cama dele só para abraçá-lo.

Após Bryan ter tirado o gesso, continuei a dormir ao lado do meu irmão por anos. Mesmo pequenina, eu sabia que, entre o acidente e toda a exigência imposta a ele pelo nosso pai, meu irmão teve uma vida difícil. Eu queria confortá-lo.

Finalmente, depois de anos, minha mãe me disse: "Britney, agora você está quase na sexta série. Você precisa começar a dormir sozinha!".

Eu disse não.

Eu era tão pequena — não queria dormir sozinha. Mas ela insistiu, e por fim tive de ceder.

Ao ficar no meu próprio quarto, comecei a gostar de ter meu próprio espaço, porém continuei extremamente próxima do meu irmão. Ele me amava. E eu o amava tanto — por ele, eu sentia o amor mais carinhoso e protetor. Não queria nunca que ele se machucasse, já o tinha visto sofrer demais.

À medida que meu irmão foi melhorando, acabamos nos envolvendo bastante com a comunidade. Como era uma cidade pequena com apenas alguns milhares de habitantes, todos apareciam para colaborar com os três principais desfiles que aconteciam todos os anos — Mardi Gras,[2] Quatro de Julho, Natal. As ruas ficavam repletas de pessoas sorrindo, acenando, abandonando o drama de suas vidas por um dia para se divertir observando seus vizinhos perambulando lentamente pela Rodovia 38.

Teve um ano em que alguns de nós, crianças, decidimos decorar um carrinho de golfe e colocá-lo no desfile de Mardi Gras.

---

2 Festa que ocorre sempre no dia anterior à Quarta-feira de Cinzas, quando começa a Quaresma cristã. O Mardi Gras (termo que, em francês, significa "Terça-feira Gorda") de Nova Orleans, no estado norte-americano da Louisiana, é o feriado mais célebre dos Estados Unidos. [N.E.]

Devia haver provavelmente umas oito crianças naquele carrinho — muitas, é óbvio. Havia três no banco, um casal de pé nas laterais segurando o pequeno teto, um ou dois se balançando na parte de trás. Estava tão pesado que os pneus quase furaram. Todos usávamos trajes do século 19; nem me lembro por quê. Eu estava sentada no colo das crianças maiores na frente, acenando para todos. O problema era que, com tantas crianças em um carrinho de golfe, e seus pneus murchos, a coisa ficou difícil de controlar, e com as risadas, os acenos e a empolgação… Bem, só batemos no carro da frente algumas vezes, mas foi o suficiente para sermos expulsos do desfile.

4

Quando meu pai voltou a beber muito, os negócios dele começaram a falir.

O estresse de não ter dinheiro foi agravado pelo caos das mudanças extremas de humor do meu pai. Eu sentia medo principalmente quando andava de carro com ele, pois ficava falando consigo mesmo enquanto dirigia. Eu não conseguia entender o que ele dizia. Parecia viver em seu próprio mundo.

Eu sabia, naquele momento, que meu pai tinha motivos para querer se embriagar. Vivia estressado por causa do trabalho. Agora vejo com ainda mais clareza que ele estava se automedicando depois de ter sofrido durante anos os abusos de seu pai, June. Naquela época, entretanto, eu não sabia por que era tão duro com a gente, por que nada que fazíamos parecia ser bom o suficiente para ele.

A parte mais triste para mim foi que sempre quis um pai que me amasse do jeito que eu era — alguém que me dissesse: "Eu simplesmente te amo. Você pode fazer o que quiser. Ainda vou te amar incondicionalmente".

Meu pai era negligente, frio e ruim comigo, mas era ainda mais severo com Bryan. Ele exigia tanto que meu irmão fosse bom nos esportes que chegava a ser cruel. A vida do Bryan naqueles anos foi muito mais difícil que a minha, pois nosso pai fez meu irmão viver sob o mesmo regime de brutalidade a que June o tinha submetido. Bryan era obrigado a jogar basquete e também futebol americano mesmo não tendo aptidão para isso.

Meu pai também podia ser abusivo com a minha mãe, mas ele era mais o tipo de bêbado que sumia de casa por uns dias. Para ser sincera, era um alívio para a gente quando fazia isso. Eu preferia quando ele não estava lá.

O que tornava a presença dele em casa particularmente ruim era que a minha mãe discutia com ele a noite toda. De tão bêbado, não conseguia falar. Eu não sei se meu pai conseguia ouvi-la. Mas nós, sim. Bryan e eu tínhamos que sofrer as consequências da fúria dela, ou seja, não conseguíamos dormir a noite toda. Os gritos dela ecoavam pela casa.

Furiosa, eu ia até a sala de estar, de camisola, e implorava: "Só dê o jantar para ele e o coloque pra dormir! Ele está doente!".

Ela discutia com alguém que sequer estava consciente. Mas ela não me ouvia. Eu voltava enfurecida para a cama, meu olhar fuzilando o teto, ouvindo minha mãe gritar, amaldiçoando-a em meu coração.

Isso não é terrível? Era ele que estava bêbado. O alcoolismo dele que tinha nos deixado sem dinheiro. Era ele quem ficava desmaiado na cadeira. Mas era minha mãe quem mais acabava me irritando, porque, ao menos naqueles momentos, ele estava em silêncio. Eu estava tão desesperada para dormir, e ela não calava a boca.

Apesar de todo o drama noturno, de dia minha mãe tornava a nossa casa um lugar que meus amigos queriam visitar — ao menos quando meu pai nos respeitava o bastante para ir beber em outro lugar. Todas as crianças do bairro iam para a nossa casa. Na falta de uma palavra melhor, era uma casa legal. Tínhamos um balcão alto, rodeado por doze cadeiras. Minha mãe era uma típica jovem mãe sulista, sempre fofocando, sempre fumando cigarros com as amigas no bar (ela fumava Virginia Slims, os mesmos cigarros que fumo agora) ou conversando com elas ao telefone. Eu estava morta para todos. As crianças mais velhas se sentavam nas cadeiras do bar em frente à TV e jogavam videogame. Eu era a mais nova; não sabia jogar videogame, então sempre tive que lutar para chamar a atenção dos mais velhos.

Nossa casa era um zoológico. Eu vivia dançando na mesa de centro para chamar a atenção, e minha mãe vivia correndo atrás do Bryan quando ele era pequeno, pulando nos sofás enquanto tentava pegá-lo para que pudesse bater nele depois de ele ter retrucado.

Eu estava sempre agitada demais, tentando desviar a atenção das crianças maiores que estavam na sala assistindo TV ou fazer com que os adultos parassem de falar uns com os outros na cozinha.

"Britney, pare com isso!", minha mãe gritava. "Nós temos visitas! Apenas seja boazinha. Se comporte."

Mas eu a ignorava. E sempre dava um jeito de conseguir a atenção de todo mundo.

5

Eu era uma menina quieta e baixinha, mas, quando cantava, eu renascia, e tinha feito aulas de ginástica o bastante para me movimentar com habilidade. Aos cinco anos de idade, participei de um concurso local de dança. Meu talento era uma coreografia que eu fazia usando uma cartola e girando uma bengala. Ganhei. Então minha mãe começou a me levar a todos os concursos da região. Em fotos e vídeos antigos, estou usando as roupas mais ridículas. Em uma apresentação musical que fiz na terceira série, usei uma camiseta larga e um laço roxo enorme na minha cabeça que fazia eu parecer um presente de Natal. Foi realmente horroroso.

Comecei a me dedicar ao circuito de concursos e venci a competição regional em Baton Rouge. Pouco tempo depois, meus pais começaram a buscar oportunidades maiores que as que teríamos ganhando prêmios em escolas. Quando viram no jornal um anúncio sobre testes para *O Clube do Mickey*, sugeriram que fôssemos. Viajamos oito horas até Atlanta. Havia mais de duas mil crianças lá. Eu tinha que me destacar — especialmente porque, depois de termos chegado, ficamos sabendo que estavam procurando apenas crianças com mais de dez anos de idade.

Quando o diretor de elenco, um homem chamado Matt Casella, perguntou a minha idade, abri minha boca para dizer "oito", mas então me lembrei da questão de idade e disse: "nove!". Ele me olhou com ceticismo.

No meu teste, cantei "Sweet Georgia Brown" enquanto fazia uma coreografia, acrescentando alguns movimentos de ginástica.

O grupo então composto por milhares de crianças de todo o país foi reduzido a apenas algumas, dentre as quais estava uma linda menina da Califórnia, alguns anos mais velha que eu, e que se chamava Keri Russell.

Uma garota da Pensilvânia chamada Christina Aguilera e eu fomos informadas de que não tínhamos sido escolhidas, mas nos disseram que tínhamos talento. Matt falou que poderíamos fazer parte do elenco quando estivéssemos um pouco mais velhas e mais experientes. Ele disse à minha mãe que achava que deveríamos ir a Nova York para trabalhar. Recomendou que procurássemos uma agente da qual ele gostava e que ajudava jovens artistas a começarem no teatro.

Não fomos imediatamente. Em vez disso, durante cerca de seis meses, fiquei na Louisiana e comecei a trabalhar como garçonete no restaurante de frutos do mar da Lexie, o Granny's Seafood and Deli, para ajudar.

O restaurante tinha um cheiro horrível de peixe. Ainda assim, a comida era fantástica — inacreditavelmente saborosa. E o local se tornou o novo ponto de encontro para todas as crianças. O quarto dos fundos do restaurante era onde meu irmão e os amigos dele costumavam ficar bêbados durante o ensino médio. Enquanto isso, na parte da frente, aos nove anos de idade, eu limpava frutos do mar e servia os pratos enquanto fazia meus passinhos delicados de dança usando minhas roupinhas fofinhas.

Minha mãe mandou uma filmagem para a agente recomendada por Matt — Nancy Carson. No vídeo, eu estava cantando "Shine On, Harvest Moon". Deu certo: Nancy pediu que fôssemos a Nova York para nos encontrarmos com ela.

Depois que cantei para Nancy em seu escritório, que ficava no vigésimo andar de um prédio no centro de Manhattan, pegamos o trem de volta para casa. Eu tinha sido oficialmente contratada por uma agência de talentos.

Não muito tempo após voltarmos para a Louisiana, minha irmã mais nova, Jamie Lynn, nasceu. Laura Lynne e eu passávamos horas brincando com Jamie como se ela fosse mais uma das nossas bonecas.

Poucos dias depois de voltar para casa com a bebê, eu estava me preparando para mais um concurso de dança quando minha mãe começou a agir de modo estranho. Ela costurava à mão um rasgo no meu figurino, mas, enquanto passava a agulha, do nada minha mãe jogou a roupa fora. Não parecia saber o que estava fazendo. O figurino, sinceramente, era uma porcaria, só que eu precisava dele para competir.

"Mamãe! Por que você jogou meu figurino fora?", perguntei.

De repente, vi sangue. Sangue *por toda parte*.

Algo não foi suturado direito depois de a minha mãe ter dado à luz. Ela estava jorrando sangue. Aos berros, chamei meu pai.

"O que tem de errado com ela?", gritei. "O que tem de errado com ela?"

Papai entrou correndo em casa e a levou para o hospital. Durante todo o caminho, continuei gritando: "Não pode acontecer nada de errado com a minha mãe!".

Eu tinha nove anos. Ver um rio de sangue saindo da própria mãe seria traumático para qualquer pessoa, mas, para uma criança naquela idade, foi aterrorizante. Eu nunca tinha visto tanto sangue antes.

Quando chegamos ao médico, eles a trataram, e para mim pareceu ter demorado cerca de dois segundos. Ninguém aparentava muita preocupação. Aparentemente, hemorragia pós-parto não é tão incomum. Mas ficou gravada na minha memória.

Na aula de ginástica, eu sempre conferia se minha mãe estava do outro lado da janela esperando por mim. Foi um reflexo, algo que fiz para me sentir segura. Porém, um dia, ao fazer a habitual conferência na janela, ela não estava lá. Entrei em pânico. Ela tinha ido embora. Ela havia sumido! Talvez para sempre! Comecei a chorar. Caí de joelhos. Se você tivesse me visto, diria que alguém havia acabado de morrer.

Minha professora correu para me tranquilizar: "Querida, ela vai voltar!", disse. "Está tudo bem! Provavelmente ela só foi ao Walmart!"

Minha mãe fizera exatamente isto: tinha ido ao Walmart. Mas não estava tudo bem. A saída dela tinha me causado muito sofrimento. Ao retornar e ver quão triste eu estava, minha mãe nunca mais saiu daquela janela durante as aulas. E, nos anos seguintes, nunca deixou de estar ao meu lado.

Eu era uma garotinha com grandes sonhos. Queria ser uma estrela como Madonna, Dolly Parton ou Whitney Houston. Eu tinha sonhos mais simples também, que pareciam ainda mais difíceis de ser alcançados e, também, ambiciosos demais para serem ditos em voz alta: *Eu quero que meu pai pare de beber. Eu quero que minha mãe pare de gritar. Eu quero que todo mundo fique bem.*

Com a minha família, qualquer coisa poderia dar errado a qualquer momento. Eu não tinha poder ali. Apenas quando estava me apresentando eu era realmente invencível. Em uma sala de reuniões em Manhattan diante de uma mulher que poderia tornar meus sonhos realidade, ao menos uma coisa estava completamente sob meu controle.

6

Quando eu tinha dez anos, fui convidada para participar do programa *Star Search*.[3]

No primeiro dia, cantei uma versão corajosa de uma canção que tinha ouvido na voz de Judy Garland: "I Don't Care". Recebi 3,75 estrelas. Minha rival, uma menina que cantava ópera, recebeu 3,5. Avancei para a próxima fase. O episódio seguinte foi gravado mais tarde naquele mesmo dia, e eu estava competindo com um garoto de gravata texana e muito spray no cabelo que se chamava Marty Thomas, de doze anos. Ficamos amigos; até jogamos basquete juntos antes da gravação. Cantei "Love Can Build a Bridge", da dupla The Judds, uma música que eu havia cantado um ano antes no casamento da minha tia.

Enquanto aguardávamos nossas pontuações, Marty e eu fomos entrevistados no palco pelo apresentador, Ed McMahon.

"Na semana passada, notei que você tem os olhos mais adoráveis e lindos", ele disse para mim. "Você tem namorado?"

---

[3] Show de talentos que foi ao ar na televisão norte-americana de 1983 a 1995. O programa foi relançado em 2003, mas durou apenas um ano. [N.E.]

"Não, senhor", respondi.

"Por que não?"

"Eles são maus."

"Namorados?", perguntou Ed. "Você acha que todos os meninos são maus? Eu não sou mau! O que você acha de mim?"

"Bem, aí depende", eu disse.

"Ouço isso bastante", afirmou Ed.

Recebi 3,75 de novo. Marty recebeu um 4 perfeito. Eu sorri e o abracei educadamente e, enquanto saía do palco, Ed me desejou sorte. Mantive a compostura até chegar ao camarim — e então desatei a chorar. Depois, minha mãe comprou pra mim um sundae com calda quente de chocolate.

Minha mãe e eu continuamos indo e voltando de Nova York. A intensidade de trabalhar na cidade sendo apenas uma menina era algo empolgante para mim, mesmo sendo também intimidador.

Recebi uma proposta de trabalho: um papel como substituta de uma atriz em um musical off-Broadway chamado *Ruthless!*,[4] inspirado nos filmes *Tara Maldita* e *A Malvada* e nos musicais *Mame* e *Gipsy*. Interpretei uma estrela sociopata mirim chamada Tina Denmark. A primeira música que Tina cantava era "Born to Entertain".[5] Essa canção mexeu comigo. A outra substituta era uma jovem e talentosa atriz chamada Natalie Portman.

---

4 Em tradução livre, "Impiedosa!". [N.E.]
5 Em tradução livre, "Nascida para entreter". [N.E.]

Enquanto eu estava fazendo o musical, alugamos um pequeno apartamento para minha mãe, a bebê Jamie Lynn e eu, próximo de uma escola pública, a Professional Performing Arts School, e comecei a fazer aulas perto do Broadway Dance Center. Mas, na maior parte do tempo, eu ficava no Players Theatre, no centro.

A experiência foi, de certo modo, uma validação, a prova de que eu tinha talento o bastante para ter sucesso no mundo do teatro. Mas era uma rotina exaustiva. Não dava tempo de ser uma criança comum ou de realmente fazer amigos porque eu tinha que trabalhar quase todos os dias. Aos sábados, havia duas apresentações.

Também não adorava ser uma atriz substituta. Precisava ficar no teatro toda noite até quase meia-noite, para o caso de eu ter que substituir a atriz que interpretava Tina, Laura Bell Bundy. Depois de alguns meses, Laura saiu, e fiquei com o papel principal, mas, àquela altura, eu estava extremamente cansada.

Quando o Natal chegou, eu estava desesperada para voltar para casa — mas então soube que teria de me apresentar no dia do Natal. Aos prantos, perguntei à minha mãe: "Eu realmente vou precisar fazer isso no *Natal*?". Olhei para a miniárvore em nosso apartamento enquanto pensava na árvore grande que ficava na sala de estar da nossa casa em Kentwood.

Minha mente de menina não era capaz de compreender por que eu iria querer fazer isso — continuar atuando nos feriados. Então abandonei o musical e fui para casa.

A agenda de apresentações no teatro em Nova York era realmente muito puxada para mim naquela idade. No entanto, isso resultou em uma coisa boa: aprendi a cantar em um teatro com acústica reduzida. O público fica bem perto de você — apenas cerca de duzentas pessoas no local. Sinceramente, é estranho, mas, nesse espaço, a emoção de cantar é mais eletrizante. A proximidade que você sente com as pessoas na plateia é algo especial. A energia delas me deixava mais forte.

Com essa experiência, participei novamente dos testes para *O Clube do Mickey*.

Em Kentwood, enquanto aguardava notícias sobre *O Clube do Mickey*, comecei a frequentar a Parkland Academy e a jogar basquete, me tornando armadora. Eu era pequena para uma criança de onze anos, mas conseguia fazer as jogadas. As pessoas achavam que eu era animadora de torcida, coisa que nunca fui. Eu dançava um pouquinho, mas, na escola, eu queria jogar, o que eu fazia apesar da minha altura. Eu tinha uma camiseta enorme com o número 25, que ficava gigante em mim. Eu era um ratinho minúsculo correndo pela quadra.

Durante um tempo, tive um crush em um jogador de basquete que tinha quinze ou dezesseis anos. Ele convertia todos os arremessos de três pontos e fazia isso parecer fácil. As pessoas vinham de longe para vê-lo jogar, como também fizeram um dia para ver meu pai jogar. Ele era bom — não tanto quanto meu pai tinha sido, mas, ainda assim, era um gênio com a bola.

Eu ficava maravilhada com ele e com os meus amigos que eram mais altos que eu. Meu negócio era roubar a bola dos adversários no meio do drible, correr e fazer uma bandeja.

Eu amava a sensação de passar por entre todos os jogadores adversários. A emoção de não ter um roteiro, de o jogo ser imprevisível, completamente desconhecido, me fazia sentir tão viva. Eu era tão pequena e tão fofa que ninguém me via chegando.

Não era a mesma coisa que estar no palco em Nova York — mas estar sob as luzes brilhantes da quadra, aguardando o som dos aplausos quando eu fazia uma cesta, era quase tão bom quanto.

7

Meu segundo teste para *O Clube do Mickey* me rendeu um papel. Matt, o simpático diretor de elenco que indicou a agente Nancy para a minha mãe, decidiu que eu estava pronta.

Estar no programa foi como passar por um treinamento para a indústria do entretenimento: havia longos ensaios de dança, aulas de canto, aulas de atuação, horas no estúdio de gravação e a escola no meio disso tudo. Os Mousequeteiros rapidamente formaram suas panelinhas a partir dos camarins que eram compartilhados: Christina Aguilera e eu éramos as crianças mais novas e dividíamos o espaço com outra garota: Nikki DeLoach. Admirávamos os mais velhos: Keri Russell, Ryan Gosling e Tony Lucca — que eu achava muito lindo. E logo fiz amizade com um garoto chamado Justin Timberlake.

Estávamos filmando no Disney World em Orlando, e minha mãe e Jamie Lynn, na época com dois anos, foram comigo. Durante o dia, nos intervalos, o elenco se divertia nos brinquedos. De verdade, aquilo era um sonho de criança — incrivelmente divertido, ainda mais para uma criança como eu. Mas também foi um trabalho excepcionalmente difícil: repetíamos a coreografia trinta vezes em um dia, tentando tornar cada movimento perfeito.

O único momento triste foi quando, após terminarmos de filmar, recebemos uma ligação e soubemos que minha avó Lily tinha morrido. Ninguém sabia dizer se havia sido infarto ou derrame, mas ela se afogou enquanto nadava na piscina. Não tínhamos dinheiro para ir para casa de avião e comparecer ao funeral, mas Lynn Harless, a gentil mãe do Justin, nos emprestou o dinheiro da passagem. Era o tipo de coisa que uma família faria, e as crianças do elenco e seus pais se tornaram uma.

Um dia, Tony estava procurando um chapéu que um dos figurinistas tinha deixado no camarim das meninas e foi ao nosso camarim. Quando entrou, meu coração quase saiu pela boca. Ele era meu crush. Eu não podia acreditar que ele tinha entrado no meu camarim! Meu coraçãozinho quase explodiu no peito.

Em outra ocasião, em uma festa de pijama, brincamos de "verdade ou desafio", e alguém desafiou Justin a me beijar. Uma música da Janet Jackson estava tocando quando ele se inclinou e me beijou.

Isso me fez lembrar de um momento na biblioteca, quando eu estava na terceira série, segurando a mão de um garoto pela primeira vez. Foi algo muito importante para mim, tão real, tão poderoso. Aquela tinha sido a primeira vez que alguém havia me dado um tipo de atenção romântica, e parecia uma maravilhosa rebeldia. As luzes estavam apagadas — estávamos vendo um filme e escondemos as mãos debaixo da mesa para que os professores não pudessem ver.

O *Clube do Mickey* foi uma experiência incrível; foi minha primeira vez na TV fazendo parte de um elenco. Participar daquele programa despertou *algo* em mim. Dali em diante eu soube o que queria fazer — cantar e dançar.

Quando o programa acabou, um ano e meio depois, a maior parte dos meus colegas foi para Nova York ou Los Angeles para continuar correndo atrás de seus sonhos. Mas decidi voltar para Kentwood. Dentro de mim já havia um dilema: uma parte minha queria continuar trabalhando e tornar o sonho realidade; a outra desejava viver uma vida normal na Louisiana. Por um momento, eu tive que deixar a normalidade vencer.

Já em casa, voltei à Parklane e me acostumei à rotina normal de uma adolescente — ou ao que era mais próximo possível do "normal" na minha família.

Por diversão, quando eu estava no oitavo ano, minha mãe e eu íamos de Kentwood a Biloxi, no Mississippi, uma viagem que durava cerca de duas horas, e, enquanto ficávamos por lá, bebíamos daiquiris. Chamávamos nossos coquetéis de "biritas". Eu adorava o fato de poder beber com a minha mãe de vez em quando. O modo como bebíamos em nada se parecia com o jeito que meu pai fazia. Quando ele bebia, ficava mais depressivo e calado. Nós ficávamos mais felizes, mais vivas e mais ousadas.

Alguns dos melhores momentos que vivi com a minha mãe foram durante essas viagens que fazíamos para a praia com a minha irmã. Enquanto estávamos na estrada, eu dava uns golinhos num drinque chamado White Russian. Para mim, tinha gosto de sorvete. Quando era preparado com a quantidade certa de gelo raspado, creme de leite, açúcar e sem muito álcool, era um pedaço de paraíso para mim.

Minha irmã e eu tínhamos biquínis e permanentes no cabelo iguais. Hoje em dia, é simplesmente ilegal fazer isso numa criança pequena, mas, nos anos 1990, era *lindo pra caramba*. Aos três anos de idade, Jamie Lynn era como uma bonequinha viva — a criança mais maluca e adorável que já existiu.

Então era isso que gostávamos de fazer. Viajávamos até Biloxi para beber, ir à praia e voltávamos felizes para casa. E a gente se divertia. A gente se divertia *muito*. Apesar de toda a tristeza, vivi momentos muito felizes na minha infância.

* * *

Aos treze, eu bebia com a minha mãe e fumava com os meus amigos. Fumei meu primeiro cigarro na casa da minha única amiga "má". Todos os meus outros amigos eram nerds, mas essa menina era popular: sua irmã estava no último ano do ensino médio; minha amiga sempre se maquiava, e os caras ficavam babando por ela.

Minha amiga me levou a um galpão e me deu o meu primeiro cigarro. Embora fosse só tabaco, fiquei alterada. Me lembro de pensar: *Eu vou morrer? Será que essa sensação vai passar? Quando essa sensação vai embora?* Depois de ter sobrevivido ao meu primeiro cigarro, imediatamente quis outro.

Consegui esconder muito bem esse hábito da minha mãe, mas um dia estávamos em uma loja na rua que levava até nossa casa, e ela me fez dirigir — também aprendi a dirigir aos treze anos; de repente, minha mãe começou a perceber algo no ar.

"Estou sentindo cheiro de cigarro! Você está fumando?"

Ela rapidamente tirou uma das minhas mãos do volante e a puxou para si para cheirar. Enquanto minha mãe fazia isso, perdi o controle da direção e o carro saiu da pista. Tudo pareceu acontecer em câmera lenta. Olhei para trás e vi a pequena Jamie Lynn prensada no banco de trás. Ela estava com o cinto de segurança, mas não na cadeirinha. Enquanto o carro rodopiava, eu só conseguia pensar: *A gente vai morrer. A gente vai morrer. A gente vai morrer.*

Então, *tum*. A traseira do carro bateu em um poste.

Foi um milagre o modo como o carro bateu. Se tivéssemos batido de frente contra o poste, teríamos atravessado o para-brisa. Minha mãe saiu correndo do carro e começou a gritar — comigo por causa do acidente, com os carros que passavam para pedir ajuda, com o mundo por permitir que isso acontecesse.

Ninguém se machucou, felizmente. Nós fomos embora a pé. E o melhor de tudo: minha mãe se esqueceu completamente de como tinha descoberto que eu estava fumando. O crime adolescente de eu fumar? *Tanto faz. A gente quase morreu!* Depois disso, ela nunca mais tocou no assunto outra vez.

*   *   *

Um dia, alguns meninos da sexta série me chamaram para fumar um cigarro no vestiário masculino durante o intervalo. Fui a única garota que eles chamaram para ir com eles. Eu nunca havia me sentido tão descolada. Felizmente, o vestiário dos meninos tinha duas portas, e uma delas dava para o lado de fora. Lembro que deixamos a porta aberta para que a fumaça saísse e não fôssemos pegos.

Isso se tornou um ritual. Porém não durou muito. Um tempo depois, resolvi tentar fazer isso sozinha, sem os meninos. Desta vez, minha melhor amiga e eu fomos fumar no vestiário feminino, mas lá só havia uma porta. Desastre — fomos pegas em flagrante e nos mandaram para a diretoria.

"Vocês estavam fumando?", perguntou o diretor.

"Não!", respondi. Minha melhor amiga segurou a minha mão e secretamente a apertou com muita força. Estava nítido que o diretor não tinha acreditado em mim, mas, adivinhe — de alguma forma nós escapamos levando apenas uma advertência.

Mais tarde, minha amiga disse para mim: "Juro por Deus, Britney, você é a pior mentirosa que já vi na vida. Deixa que eu falo da próxima vez, por favor".

Eu não estava apenas fumando e bebendo naquela idade; fui precoce quando o assunto era garotos. Eu tinha um crush gigante em um dos caras que sempre estava na casa minha amiga "má". Ele tinha uns dezoito ou dezenove anos e namorava uma menina na época — ela era de um estilo *tomboy*. Eles realmente estavam juntos, e eram o casal mais popular da escola. Queria tanto que ele me notasse, mas não tinha muita esperança já que era cinco anos mais nova que ele.

Uma noite, fui dormir na casa da minha amiga "má". De repente, no meio da madrugada, meu crush entrou sorrateiramente na casa — devia ser umas três da manhã. Eu estava dormindo no sofá e acordei com ele sentado ao meu lado. Ele começou a me beijar, e logo a gente estava se pegando.

O que está acontecendo?, pensei. Parecia algo meio sobrenatural, como se eu o tivesse invocado! Eu não conseguia acreditar que meu crush houvesse simplesmente aparecido do nada e nós tivéssemos ficado. E foi tão doce. Isto foi tudo o que ele fez: me beijou. Ele não tentou fazer qualquer outra coisa.

Naquele ano, gostei de muitos meninos da turma do meu irmão. Bryan era um garoto divertido — *estranho*, da melhor maneira possível. Mas quando foi para o último ano do ensino médio, ele se tornou o rei da escola, o fodão.

E foi no último ano do meu irmão na escola que comecei a namorar o melhor amigo dele e perdi a virgindade.

Eu era nova para o nono ano, e o cara tinha dezessete anos. Meu relacionamento com ele acabou consumindo grande parte do meu tempo. Eu ia para a escola normalmente às sete da manhã, mas saía na hora do almoço, por volta da uma hora, e passava a tarde com ele. Então ele me levava de volta para a escola bem na hora da saída. Eu apenas pegava o ônibus inocentemente e ia para casa como se nada tivesse acontecido.

Por fim, minha mãe recebeu uma ligação da secretaria da escola; eu tinha perdido dezessete dias letivos que precisaria compensar.

Minha mãe falou: "Como você fez isso? Como você simplesmente saiu?".

"Ah, eu falsifiquei sua assinatura", respondi.

A diferença de idade entre mim e aquele rapaz era enorme, obviamente — hoje em dia é ultrajante —, e meu irmão, que sempre foi muito protetor, começou a odiá-lo. Quando Bryan me pegou saindo escondido para me encontrar com o amigo dele, contou para os nossos pais. Como castigo, tive de sair pelo bairro carregando uma lixeira, recolhendo o lixo como uma prisioneira. Bryan me seguiu e ficou tirando fotos enquanto eu, chorando, recolhia o lixo do chão.

Deixando de lado momentos como esse, havia coisas maravilhosamente normais nessa fase da minha vida: ir aos bailes da escola e ao baile de formatura, passear de carro pela nossa pequena cidade, ir ao cinema.

Mas a grande verdade é que eu sentia falta de estar no palco. Minha mãe mantinha contato com um advogado que conhecera em um dos testes que eu tinha feito, um homem chamado Larry Rudolph, para quem ela ligava às vezes pedindo conselhos sobre negócios. Minha mãe enviou para Larry vídeos em que eu estava cantando, e ele sugeriu que eu gravasse uma demo. Larry tinha uma canção que Toni Braxton havia gravado para seu segundo álbum, mas que acabou ficando de fora; se chamava "Today". Ele me enviou a música, e aprendi a cantá-la, então a gravei em um estúdio que ficava a uma hora e meia de onde morávamos, em Nova Orleans. Essa seria a demo que eu levaria para apresentar às gravadoras.

Mais ou menos na mesma época, Justin e outro Mousequeteiro, JC Chasez, estavam em uma nova boy band chamada NSYNC. Outra colega de elenco, Nikki, com quem eu tinha dividido o camarim, estava se juntando a um grupo de garotas, mas depois de conversar sobre isso com minha mãe, decidimos que eu deveria seguir carreira solo.

Larry apresentou a demo para alguns executivos de Nova York que disseram a ele que queriam ver do que eu era capaz. Então pus meus saltinhos e meu vestido bonitinho, e fui para Nova York.

Eu havia tentado voltar a ser uma adolescente comum, mas não deu certo. Ainda queria algo mais.

8

Quem é este homem?, pensei. *Não faço ideia, mas eu gostei do escritório dele e realmente gostei de seu cachorro.* Era um senhorzinho, mas sua energia era insana. Estimei que tivesse provavelmente 65 anos (na verdade, ele estava na casa dos cinquenta).

Larry me disse que o homem, chamado Clive Calder, era um grande contato. Eu não imaginava o que ele fazia. Se soubesse de antemão que era um executivo de gravadora, fundador da Jive Records, talvez eu tivesse ficado mais nervosa. Em vez disso, estava apenas curiosa. E eu o amei desde o segundo em que o conheci.

Clive tinha um escritório de três andares incrivelmente intimidador. E lá ficava um yorkshire terrier mini — um tipo de cachorro que eu nem sabia que existia —, que era, juro por Deus, a coisa mais pequenina e preciosa. Quando entrei e vi o escritório e o cachorro, senti como se estivesse entrando em um universo paralelo. Tudo se desdobrou em uma dimensão diferente. Eu havia entrado em um sonho incrível.

"Oi, Britney! Como você está?", disse ele, praticamente vibrando de entusiasmo.

Clive se comportava como se fizesse parte de uma sociedade secreta. Seu sotaque da África do Sul, para mim, fazia com que ele parecesse um personagem de um filme antigo. Nunca tinha ouvido alguém falar daquele jeito na vida real.

Ele me deixou pegar o cachorrinho. Enquanto eu segurava aquele bichinho tão quentinho nos meus braços e olhava para aquele escritório gigante, não conseguia parar de sorrir. Naquele momento, meus sonhos ganharam um empurrãozinho.

Eu ainda não tinha gravado nada além de um demo. Eu estava apenas visitando as pessoas com as quais Larry havia dito para eu me encontrar. Sabia que deveria ir cantar uma música para executivos de gravadoras. E eu sabia que queria ficar mais perto daquele cara, e que o jeito dele tinha algo a ver com o que eu também queria ser. Não me surpreenderia se ele tivesse sido meu tio numa vida passada. Eu queria ter conhecido Larry muito antes.

Era o sorriso dele. Inteligente, perspicaz, sábio. Ele era um homem com um sorriso místico. Nunca me esquecerei disso. Me senti tão feliz com ele e senti que a viagem para Nova York mais do que valeu a pena, mesmo se tivesse servido apenas para conhecer alguém como ele, alguém que acreditava em mim.

Mas o meu dia ainda não tinha acabado. Larry me levou para dar uma volta na cidade; entrei em salas cheias de executivos e cantei "I Have Nothing", da Whitney Houston. Observando salas repletas de homens me analisando de cima a baixo com meu vestidinho e meus saltos altos, cantei *alto*.

Clive me contratou imediatamente. E então acabei assinando um contrato com a Jive Records aos quinze anos de idade.

Minha mãe lecionava para o segundo ano em Kentwood, e Jayme Lynn era pequena, por isso chamamos uma amiga da família, Felicia Culotta (eu a chamava de Miss Fe) para me acompanhar aonde quer que eu fosse.

A gravadora queria que eu entrasse logo no estúdio. Providenciaram um apartamento para Fe e eu em Nova York. Íamos de carro para New Jersey todos os dias, e eu entrava em uma cabine e cantava para o produtor e compositor Eric Foster White, que havia trabalhado com Whitney Houston.

Sinceramente, eu não tinha noção. Não fazia ideia do que estava acontecendo. Eu só sabia que amava cantar e dançar, então qualquer que fosse o deus que pudesse descer e coordenar isso para mim, eu iria mostrar o que podia fazer. Se alguém fosse capaz de conceber algo para mim que me apresentasse de um modo que fizesse as pessoas se identificarem, eu estava pronta. Não sei o que aconteceu, mas Deus fez sua mágica, e lá estava eu, em New Jersey, gravando.

A cabine onde gravei ficava no subsolo. Estando ali, só se ouve a si mesmo cantando, e nada mais. Fiz isso durantes meses. Não saía da cabine.

Depois de trabalhar sem parar, fui a um churrasco na casa de alguém. Eu era muito feminina nessa época — sempre de vestido e salto alto. Conversava com as pessoas, tentando causar uma boa impressão, e em determinado momento fui correndo até Felicia para levá-la à varanda. Não percebi que havia uma porta-mosquiteira ali. Corri diretamente na direção dela, bati o nariz e caí no chão. Todo mundo olhou e me viu no chão, com a mão no nariz.

Quando digo a você que fiquei sem graça, juro por *Deus*...

Me levantei e alguém disse: "Você sabe que tem uma tela aqui, né?".

"Sim, obrigada."

Claro que todo mundo caiu na gargalhada.

Fiquei *tão* constrangida. Não é engraçado que, dentre todas as coisas que aconteceram comigo no meu primeiro ano de gravação, essa seja uma das minhas lembranças mais marcantes? E isso aconteceu há mais de 25 anos! Fiquei arrasada! Mas, de verdade, acho que fiquei mais em choque porque eu não sabia que havia uma tela ali. Isso me fez pensar que eu estava passando tempo demais gravando dentro daquela cabine.

Cerca de um ano depois da minha chegada a New Jersey, as coisas começaram a se encaminhar para o meu primeiro álbum. Então, de repente, um dos executivos me disse: "Você precisa se encontrar com esse produtor sueco. Ele é muito bom. Escreve músicas legais".

"Tudo bem", falei. "Com quem ele já trabalhou?"

Não sei como fui capaz de fazer essa pergunta, eu era tão inexperiente, mas já tinha começado a ter clareza de como eu queria soar. Também pesquisei um pouco e descobri que, até aquele momento, o produtor já havia trabalhado com os Backstreet Boys, Robyn e Bryan Adams.

"Sim", falei. "Vamos fazer isso."

Max Martin pegou um avião para Nova York e nós jantamos, só eu e ele, sem assistentes e pessoas da gravadora. Embora eu normalmente estivesse acompanhada por assessores por causa da minha idade, nesse caso, eles quiseram que eu me encontrasse com Max sozinha. Enquanto nos sentávamos, o garçom se aproximou e perguntou: "Como posso ajudá-los?".

Por algum motivo, uma vela tombou e a mesa inteira começou a pegar fogo.

Estávamos em um dos restaurantes mais caros de Nova York, e a nossa mesa tinha acabado de se transformar em uma fogueira — um segundo se passou entre o "Como posso ajudá-los?" e as chamas.

Max e eu nos entreolhamos horrorizados.

"Acho que devemos ir embora agora, não?", disse ele.

Ele era mágico. E começamos a trabalhar juntos.

Fui até a Suécia para gravar músicas, porém mal notei a diferença entre lá e New Jersey: eu só estava em outra cabine de gravação.

Felicia sempre ia me perguntar: "Você quer café? Vamos fazer uma pausa!".

Eu me livrava dela. Trabalhava direto por horas. Minha ética profissional era sólida. Nunca saía. Se você me conhecesse naquela época, não teria notícias minhas por dias. Permanecia no estúdio o máximo de tempo que podia. Se alguém quisesse ir embora, eu dizia: "Não fui perfeita".

Na noite anterior ao dia da gravação de "...Baby One More Time", eu estava ouvindo "Tainted Love", do Soft Cell, e me apaixonei por essa música. Fiquei acordada até tarde para entrar no estúdio cansada, com a voz rouca. Deu certo. Quando cantei, minha voz saiu mais grave, soando mais adulta e mais sexy.

Assim que percebi o que estava acontecendo, fiquei extremamente focada na gravação. E o Max me ouviu. Quando falei que queria mais R&B na minha voz, sem soar tão pop, ele entendeu o que eu estava querendo dizer e fez acontecer.

E quando todas as músicas tinham sido gravadas, alguém disse: "O que mais você consegue fazer? Você quer dançar agora?".

Respondi: "Se eu quero dançar? Claro que sim!".

9

A gravadora apresentou para mim um conceito para o clipe de "… Baby One More Time" no qual eu interpretaria uma astronauta futurística. Na proposta eu parecia uma Power Ranger. Não me identifiquei com aquilo e tive a sensação de que meu público também não se identificaria. Falei para os executivos da gravadora que imaginava que as pessoas gostariam de ver meus amigos e eu na escola, entediados, e, assim que o alarme soasse, *bum* — todos nós começaríamos a dançar.

A forma como o coreógrafo fazia a gente se movimentar era muito suave. O fato de a maioria dos dançarinos ser de Nova York ajudou. No mundo da dança pop, existem dois grupos. A maioria das pessoas vai dizer que os dançarinos de Los Angeles são melhores. Eu os respeito, mas minha alma sempre preferiu os de Nova York — são mais intensos. Ensaiamos no Broadway Dance Center, o mesmo lugar onde tive aulas de dança quando era criança, então me senti à vontade lá.

Quando o executivo da Jive Records, Barry Wise, foi ao estúdio, fiz tudo com mais intensidade. Naquele momento, mostrei a ele do que era capaz.

O diretor do clipe, Nigel Dick, estava aberto às minhas ideias. Além da campainha da escola sinalizando o início da dança, acrescentei que era importante ter meninos bonitos. E pensei que poderíamos usar uniformes escolares para que ficasse mais empolgante quando começássemos a dançar fora da escola com nossas roupas casuais. Até consegui colocar a Miss Fe no elenco como minha professora. Achei hilário vê-la usando óculos de nerd e uma roupa desajeitada de professora.

Gravar esse vídeo foi a parte mais divertida de fazer esse primeiro álbum.

Essa foi, provavelmente, a época da minha vida em que mais senti paixão pela música. Eu era desconhecida e não tinha nada a perder se fizesse algo errado. Há tanta liberdade no anonimato. Eu podia olhar para uma plateia que nunca havia me visto antes e pensar: *Vocês não me conhecem ainda*. Era libertador que eu não precisasse realmente me preocupar se cometesse erros.

Para mim, fazer um show não se tratava apenas de realizar poses e sorrir. No palco, eu era como uma jogadora de basquete correndo pela quadra. Eu sabia jogar bola, sabia como era a rua. Eu não tinha medo. E sabia quando arremessar.

No verão, a Jive me mandou para uma turnê em shoppings — uns 26 shoppings! Fazer esse tipo de divulgação não é muito divertido. Ninguém sabia ainda quem eu era. Eu tinha que tentar me vender a pessoas que não estavam tão interessadas assim.

Meu comportamento era inocente — e não era fingimento. Eu não sabia o que estava fazendo. Apenas dizia: "Oi, pessoal, minha música é muito boa! Vocês precisam ouvir!".

Antes de o vídeo sair, poucas eram as pessoas que conheciam a minha cara. Mas, no fim de setembro, a música estava tocando nas rádios. Eu tinha dezesseis anos quando, no dia 23 de outubro de 1998, o single de "...Baby One More Time" chegou às lojas. No mês seguinte, o vídeo foi divulgado, e de repente eu estava sendo reconhecida aonde quer que fosse. No dia 12 de janeiro de 1999, o álbum foi lançado e vendeu mais de dez milhões de cópias muito rapidamente. Estreei em primeiro lugar na parada Billboard 200 nos Estados Unidos. Me tornei a primeira mulher a estrear com um single e um álbum em primeiro lugar ao mesmo tempo. Fiquei tão feliz. Comecei a sentir que a minha vida realmente estava mudando. Eu não tinha mais que me apresentar em shoppings.

As coisas estavam acontecendo rápido. Saí em turnê com o NSYNC e também com o meu antigo amigo de *O Clube do Mickey*, Justin Timberlake, de ônibus. Eu estava sempre com os meus dançarinos ou Felicia ou um dos meus dois empresários, Larry Rudolph e Johnny Wright. Também comecei a ser acompanhada por um segurança chamado Big Rob, que era incrivelmente gentil comigo.

Comecei a participar regularmente do programa *Total Request Live*, da MTV. A revista *Rolling Stone* mandou David LaChapelle para a Louisiana a fim de me fotografar para a capa da edição de abril com a chamada "Inside the Heart, Mind & Bedroom of a Teen Dream".[6] Quando a revista saiu, o ensaio causou polêmica,

---

6 Em tradução livre, "Dentro do coração, da mente e do quarto de um sonho adolescente". [N.E.]

pois eu estava vestindo uma calcinha boxer de seda enquanto abraçava um Teletubby de pelúcia, brincando com a minha juventude. Minha mãe ficou preocupada, mas eu sabia que queria trabalhar com David LaChapelle outra vez.

 Cada dia era uma novidade. Eu estava conhecendo tantas pessoas incríveis! Logo que o single "Baby" saiu, encontrei a cantora e compositora Paula Cole em uma festa em Nova York. Ela era cerca de catorze anos mais velha que eu. Ah, meu Deus, eu a admirei tanto — em um primeiro momento só por causa de sua aparência. Ela era tão pequenininha, com os cabelos castanhos cacheados caindo pelas costas. Eu não fazia ideia de quem ela era, só sabia que era muito bonita, com aparência e energia incríveis.

 Anos mais tarde, me dei conta de que ela tinha interpretado várias músicas que eu amava. Quando ouvi a voz de Paula pela primeira vez, imaginei que ela tivesse uma aparência completamente diferente. Paula cantava com seu rosto angelical palavras obscenas como a gente vê em "Feelin' Love" e seu corpo pequeno e delicado aliado com a força de sua voz em "I Don't Want to Wait", e foi então que percebi quão poderoso pode ser quando as mulheres desafiam as expectativas.

10

Justin Timberlake e eu mantivemos contato depois de *O Clube do Mickey,* e curtimos passar um tempo juntos durante a turnê do NSYNC. O fato de termos vivido aquela experiência juntos quando éramos tão jovens nos aproximou bastante. A gente tinha muito em comum. Nos encontramos quando eu estava em turnê e começamos a sair nos dias que antecediam os shows, e então depois dos shows também. Logo percebi que estava perdidamente apaixonada por ele — tão apaixonada por ele que chegava a ser patético.

Quando Justin e eu estávamos em qualquer lugar nos mesmos arredores — a mãe dele até chegou a dizer isso —, éramos como ímãs. A gente se encontrava imediatamente e ficava junto. Não dava para explicar como éramos juntos. Era *estranho*, para ser sincera, quão apaixonados estávamos.

A banda do Justin, o NSYNC, era, como as pessoas costumavam dizer na época, metida. Eram todos jovens brancos, mas que amavam hip-hop. Para mim, era isso que os diferenciava do Backstreet Boys, que parecia bem consciente ao se posicionar como um grupo branco. O NSYNC andava com artistas negros. Às vezes, eu achava que eles se esforçavam demais para se encaixar. Um dia, J e eu estávamos em Nova York, indo a partes da cidade que eu nunca tinha visitado. Vimos um cara caminhando em nossa direção, usando um medalhão grande e chamativo. Ele estava acompanhado por dois guarda-costas gigantes.

J ficou todo empolgado e disse bem alto: *"Oh, yeah, fo shiz, fo shiz! Ginuwiiiiine! What's up, homie?"*.[7]

Depois que Ginuwine se foi, Felicia tirou uma com a cara do J: *"Oh, yeah, fo shiz, fo shiz! Ginuwiiiiine!"*.

J nem ficou sem graça. Apenas ouviu e olhou para ela como quem diz *O.k., foda-se, Fe*.

Foi nessa viagem que ele comprou seu primeiro colar — um T gigante de Timberlake.

Foi difícil para mim ser tão despreocupada quanto ele parecia ser. Não pude deixar de perceber que as perguntas feitas pelos apresentadores dos talk shows para ele eram bem diferentes das perguntas que faziam para mim. Todo mundo insistia em fazer comentários estranhos a respeito dos meus seios, querendo saber se eu tinha ou não tinha feito cirurgia plástica.

A imprensa podia ser desconfortável, mas, nas premiações, eu sentia uma alegria genuína. A criança em mim ficou empolgadíssima ao ver Steven Tyler, do Aerosmith, pela primeira vez no MTV Video Music Awards. Eu vi Steven chegando atrasado, vestindo uma roupa fantástica que parecia uma capa de um mago. Fiquei sem ar. Pareceu surreal vê-lo de perto. Lenny Kravitz também chegou atrasado. E, mais uma vez, eu pensei: *Lendas! Lendas para onde quer que eu olhe!*

---

7 "Oh, sim, o.k., o.k.! Ginuwine! E aí, mano?" [N.T.]

Comecei a encontrar a Madonna no mundo inteiro. Eu faria shows na Alemanha e na Itália, e acabaríamos nos apresentando em uma mesma premiação na Europa. Nós nos cumprimentávamos como amigas.

Em uma premiação, bati na porta do camarim de Mariah Carey. Ela abriu a porta e fez resplandecer a luz mais bela e transcendental. Você já sabe que todos nós temos ring lights agora, certo? Bem, há mais de vinte anos, só a Mariah Carey sabia o que eram ring lights. E não, não posso falar só o primeiro nome dela. Para mim, ela sempre será *Mariah Carey*.

Perguntei se poderíamos tirar uma foto juntas e tentei tirá-la bem onde estávamos, mas ela disse: "Não! Vem aqui, querida. Esta é a minha luz. Este é o meu lado. Eu quero que você fique aqui, assim posso posar do meu lado bom, garota". Ela continuou falando isso com aquela voz profunda e linda: "Meu lado *bom*, garota. Meu *lado* bom, garota".

Eu fiz tudo o que a Mariah pediu, e tiramos a foto. Claro que ela estava completamente certa em relação a tudo — a foto ficou incrível. Sei que ganhei um prêmio naquela noite, mas nem consigo lembrar qual foi. A foto perfeita com Mariah Carey — esse foi o verdadeiro prêmio.

Enquanto isso, eu estava quebrando recordes, me tornando uma das artistas femininas que mais venderam em todos os tempos. As pessoas continuavam me chamando de Princesa do Pop.

No VMA de 2000, cantei "(I Can't Get No) Satisfaction", dos Rolling Stones, e em seguida "Ops!... I Did It Again" enquanto tirava um terno e um chapéu para ficar de top brilhante e calça justa, com meu longo cabelo solto. Wade Robson tinha coreografado — ele sempre soube como fazer eu parecer forte e feminina ao mesmo tempo. Durante as pausas na coreografia na gaiola, algumas das minhas poses faziam eu parecer delicada no meio de uma performance agressiva.

Mais tarde, a MTV colocou um monitor na minha frente para que eu assistisse a várias pessoas desconhecidas na Times Square opinando sobre a minha apresentação. Algumas disseram que eu tinha feito um bom show, mas muitas delas pareciam mais atentas ao fato de eu ter usado pouca roupa. Comentaram que eu estava usando uma roupa "sexy demais" e, assim, sendo um péssimo exemplo para as crianças.

As câmeras, direcionadas a mim, aguardavam a minha reação às críticas, se eu levaria numa boa ou se iria chorar. *Eu fiz alguma coisa errada?*, me perguntei. Eu só havia dançado com todo o meu coração naquela premiação. Nunca disse que era um modelo a ser seguido. Tudo que eu queria era cantar e dançar.

A apresentadora da MTV continuou insistindo. O que eu achei das pessoas dizendo para mim que eu estava corrompendo a juventude da América?

Por fim, respondi: "Alguns deles foram muito gentis... mas eu não sou os pais das crianças. Eu só tenho que ser eu mesma. Sei que vai ter gente por aí... eu sei que nem todo mundo vai gostar de mim".

Isso me abalou. E foi a primeira vez que realmente senti o gosto amargo de uma reação negativa que duraria anos. Parecia que, toda vez que eu ligava a TV para assistir alguma coisa, alguém estava me criticando, dizendo que eu não era "autêntica".

Nunca entendi muito bem o que todos esses críticos achavam que eu deveria fazer — imitar Bob Dylan? Eu era uma adolescente do Sul dos Estados Unidos. Meu autógrafo tinha um coração. Eu gostava de parecer fofinha. Por que todos me tratavam, mesmo quando eu era adolescente, como se fosse *perigosa*?

Enquanto isso, comecei a notar que cada vez mais havia homens mais velhos na plateia, e às vezes eu ficava assustada ao vê-los olhando para mim como se eu fosse uma espécie de Lolita, principalmente quando ninguém parecia achar que eu era sexy e competente, ou talentosa e atraente. Se eu fosse sexy, as pessoas pareciam pensar que eu devia ser estúpida. Se eu fosse atraente, não poderia ser talentosa.

Eu gostaria de naquela época já saber aquela piada da Dolly Parton: "Eu não me sinto ofendida por todas as piadas de loiras burras, porque sei que não sou burra. E também sei que não sou loira". Meu cabelo, na verdade é escuro.

Enquanto tentava encontrar maneiras de proteger meu coração das críticas e me manter focada no que era importante, comecei a ler livros religiosos como os da série *Conversando com Deu*s, de Neale Donald Walsh. Também comecei a tomar Prozac.

★ ★ ★

Quando "Oops!… I Did It Again" foi lançada, eu era um nome conhecido e estava no controle da minha carreira. Na época da minha primeira turnê mundial para "Oops!", pude construir uma casa para minha mãe e quitar as dívidas do meu pai. Eu queria dar a eles uma nova chance.

11

Mal houve tempo para ensaiar. Eu só tive uma semana para me preparar. Me apresentei no show do intervalo do Super Bowl 2001 ao lado de Aerosmith, Mary J. Blige, Nelly e NSYNC. Justin e o restante de sua banda usaram luvas especiais que soltavam faíscas! Cantei "Walk This Way" usando uma versão sexy de uniforme de futebol, com uma calça prateada, um cropped, e uma meia de atleta estilizada em um dos braços. Me levaram ao trailer do Steven Tyler pouco antes do show para eu conhecê-lo, e a energia dele era inacreditável: Steven era um ídolo para mim. Quando o show terminou, o estádio foi iluminado com fogos de artifício.

O show do intervalo foi apenas uma das coisas boas aparentemente intermináveis que estavam acontecendo comigo. Fui eleita a "mulher mais poderosa" da lista da *Forbes* — no ano seguinte, eu seria a número 1 em todas as listas. Soube que os tabloides estavam ganhando muito dinheiro com fotos minhas, e conseguia praticamente sozinha manter algumas revistas em circulação. E comecei a receber propostas incríveis.

Em setembro de 2001, no MTV Video Music Awards, a ideia era que eu cantasse "I'm a Slave 4 U", e decidimos que eu usaria uma cobra como adereço. Tornou-se um momento icônico na história do VMA, mas foi ainda mais assustador do que parecia.

Vi a cobra pela primeira vez quando a levaram para uma salinha nos fundos do Metropolitan Opera House, em Manhattan, onde faríamos o show. A garota que a entregou era ainda menor que eu — parecia tão jovem e tão pequena, com cabelos loiros. Eu não podia acreditar que eles não tinham um cara grande no comando — me lembro de pensar: *Você está deixando a gente, duas baixinhas, lidar com essa cobra enorme...?*

Mas lá estávamos nós, e não dava para voltar atrás: ela levantou a cobra e a colocou sobre meus ombros e em volta de mim. Para ser sincera, me assustei um pouco — aquela cobra era um animal enorme, amarelo e branco, enrugado, de aparência nojenta. Estava tudo bem porque a moça que tinha entregado para mim estava lá, além de um tratador de cobras e um monte de gente.

Tudo mudou, porém, quando realmente tive que me apresentar no palco com a cobra. No palco, entro no modo performance: estou de figurino e não há mais ninguém ali além de mim. Mais uma vez a baixinha foi até mim e entregou aquela cobra enorme, e tudo que eu sabia fazer era olhar para baixo, porque sentia que, se olhasse para cima e meu olhar encontrasse o da cobra, ela me mataria.

Na minha cabeça, eu dizia: *Apenas se apresente, apenas use suas pernas e se apresente.* Mas o que ninguém sabe é que enquanto eu estava cantando, a cobra veio com a cabeça bem perto de mim, bem perto do meu rosto, e começou a sibilar para mim. Você não viu essa cena na TV, mas na vida real? Eu estava pensando: *É sério que essa porra está acontecendo agora? Essa cobra está colocando a merda da língua bem na minha cara. Agora.* Finalmente chegou o momento de eu devolvê-la, graças a Deus.

Na noite seguinte, no Madison Square Garden, em Nova York, poucos dias antes do Onze de Setembro, cantei um dueto de "The Way You Make Me Feel" com Michael Jackson para celebrar o trigésimo aniversário da carreira solo dele. De salto alto, andei por todo o palco. O público foi à *loucura*. Houve um momento em que parecia que toda aquela multidão de vinte mil pessoas estava cantando junto com a gente.

A Pepsi me contratou para fazer comerciais. Em "The Joy of Pepsi",[8] eu começava como motorista de um caminhão de entregas e terminava fazendo uma grande apresentação de dança. Em "Now and Then",[9] usei roupas fofas de diferentes épocas. Para os anos 1980, me transformei em Robert Palmer para uma versão de "Simply Irresistible". Foram *quatro horas* de cabelo e maquiagem, mas ainda assim não conseguiram fazer com que eu ficasse parecendo um homem. Mas, na parte dos anos 1950, amei dançar em um drive-in. Meu cabelo estava igual ao da Betty Boop. Depois de ter trabalhado em estilos tão diferentes, fiquei impressionada com a produção inteligente de todos esses comerciais.

★ ★ ★

---

8 Em tradução livre, "A alegria de Pepsi". [N.E.]
9 Em tradução livre, "Agora e antes". [N.E.]

O primeiro filme que eu fiz foi *Crossroads: Amigas para sempre*, com roteiro de Shonda Rhimes e direção de Tamra Davis. As filmagens aconteceram em março de 2001, mais ou menos na mesma época em que eu estava gravando o álbum *Britney*. No filme, eu interpretava uma "garota boazinha" chamada Lucy Wagner. A experiência não foi fácil para mim. Não tive problema com qualquer pessoa envolvida no projeto; mas sim com o que a atuação fez com a minha mente. Acho que comecei a atuar usando o Método[10] — só que eu não sabia como sair da minha personagem. Realmente me tornei essa outra pessoa. Alguns atores utilizam o Método de atuação, mas em geral *estão conscientes de que estão fazendo isso*. Porém eu não separava as coisas de jeito nenhum.

É constrangedor dizer isso, mas era como se eu tivesse uma nuvem ou algo do tipo sobre mim e eu simplesmente me tornei essa garota chamada Lucy. Com a câmera ligada, eu era ela, e então não sabia mais diferenciar quem era quem, fora ou dentro da gravação. Sei que parece ridículo, mas é a verdade. Eu levei isso muito a sério. Tão a sério que Justin chegou a perguntar para mim: "Por que você está andando assim? Quem é você?".

Só consigo dizer que ainda bem que Lucy era uma garota gentil e escrevia poemas sobre "não ser uma garota, nem ainda uma mulher" e não uma serial killer.

Acabei andando, me comportando e falando de modo diferente. Fui outra pessoa durante meses enquanto gravava *Crossroads*.

---

10 Técnica em que atores e atrizes desenvolvem os pensamentos e as emoções da personagem a partir de memórias de suas vidas reais. [N.E.]

Aposto que as garotas que fizeram o filme comigo até hoje pensam: *Ela é um pouco... estranha.* Se pensaram isso, tinham razão.

Assim como a personagem, eu era muito nova. Devia ter interpretado a mim mesma diante das câmeras. Mas eu queria tanto fazer um bom trabalho que continuei tentando ir cada vez mais fundo na personagem. Fui eu mesma durante toda a minha vida e queria tentar algo diferente! Eu devia ter dito a mim mesma: *É um road movie adolescente. Não é tão profundo. Sério, apenas aproveite.*

Depois que as gravações terminaram, uma das minhas amigas de um clube de Los Angeles veio me visitar. Fomos a uma farmácia, a CVS. Juro por Deus, entrei na loja e, enquanto conversava com a minha amiga e fazíamos compras, finalmente voltei a ser eu mesma. Quando fui para a rua, estava curada do feitiço que o filme havia lançado em mim. Foi tão estranho. Meu pequeno espírito voltou ao corpo. Aquele passeio para comprar maquiagem com a minha amiga foi algo como agitar uma varinha mágica.

Então fiquei chateada.

Pensei: *Ah, meu Deus, o que foi que eu fiquei fazendo nos últimos meses? Quem eu era?*

Esse foi basicamente o começo e o fim da minha carreira de atriz, e fiquei aliviada. O pessoal do casting do filme *Diário de uma paixão* ficou entre mim e Rachel McAdams, e, mesmo que tivesse sido legal reencontrar Ryan Gosling depois da época de *O Clube do Mickey*, estou feliz por não ter feito. Se tivesse atuado nesse filme em vez de trabalhar no meu álbum *In the Zone*, eu ficaria agindo, dia e noite, como uma herdeira mimada da década de 1940.

Tenho certeza de que grande parte desse problema aconteceu porque foi a minha primeira experiência como atriz. Imagino que existam atores e atrizes que já vivenciaram algo desse tipo e tiveram dificuldades para se desligar de um personagem. Mas eu acho que eles conseguiram manter o foco. Eu espero nunca mais chegar perto desse risco ocupacional de novo. Viver dessa forma, sendo metade você e metade um personagem fictício, é uma bagunça. Depois de um tempo, você não sabe mais o que é real.

12

Quando penso naquela época, eu estava realmente vivendo um sonho, vivendo o *meu* sonho. Minhas turnês me levaram para o mundo todo. Um dos momentos mais felizes que vivi durante as turnês foi tocar no Rock in Rio 3, em janeiro de 2001.

No Brasil, me senti livre, como uma criança em alguns aspectos — uma mulher e uma criança ao mesmo tempo. Eu me sentia corajosa àquela altura, cheia de pressa e ímpeto.

À noite, meus dançarinos — eram oito, duas garotas e seis homens — e eu fomos nadar sem roupa no mar, cantando e dançando e rindo juntos. Conversamos por horas sob a lua. Foi tão bonito. Exaustos, fomos para uma sauna, onde conversamos mais um pouco.

Eu era capaz de cometer alguns pecados na época — nadar nua, ficar acordada conversando a noite toda —, nada exagerado. Tinha gosto de rebelião, e de liberdade, mas eu só estava me divertindo e agindo como uma jovem de dezenove anos.

A Dream Within a Dream Tour, que aconteceu logo após meu álbum *Britney* ser lançado no outono de 2001, foi minha quarta turnê e uma das minhas favoritas. Todas as noites no palco, eu lutava contra uma versão espelhada de mim mesma, que parecia ser provavelmente uma metáfora para alguma coisa. Mas aquela performance com o espelho era para uma música apenas. Também havia voo! E uma barca egípcia! E uma selva! Lasers! Neve!

Wade Robson dirigiu e coreografou, e dou um grande crédito às pessoas que fizeram isso. Achei que foi bem idealizado. Wade tinha esse conceito de o show refletir uma fase nova, mais madura da minha vida. O cenário e os figurinos foram escolhas muito inteligentes. Quando alguém sabia exatamente como me vestir, eu sempre ficava grata.

Eles foram perspicazes quanto ao modo de me apresentarem como uma estrela, e sei que devo isso a eles. A maneira como me retrataram demonstrou que me respeitavam como artista. As mentes por trás da turnê foram brilhantes. Foi de longe minha melhor turnê.

Foi o que todos nós esperávamos. Eu havia trabalhado tanto para chegar a esse ponto. Tinha feito apresentações em shoppings antes de *Baby* ser lançado, então foi a primeira vez que pude ver muitas pessoas na plateia. Eu me lembro de me sentir tipo *"Uau, agora eu sou alguém"*. Depois, a turnê de *Oops!* foi um pouco maior, então, quando fiz a Dream Within a Dream Tour, tudo foi mágico.

★ ★ ★

Na primavera de 2002, eu havia apresentado o *Saturday Night Live* duas vezes, interpretando uma garota que bate manteiga em um museu de reconstituição colonial, ao lado de Jimmy Fallon e Rachel Dratch, e depois interpretando a irmã mais nova da Barbie, Skipper, com Amy Poehler atuando como a Barbie. Fui a pessoa mais jovem a apresentar e ser a convidada musical no mesmo episódio.

Naquela época, me perguntaram se eu gostaria de participar de um musical. Eu não tinha certeza se queria atuar novamente depois de *Crossroads: Amigas para sempre*, mas fiquei tentada por esse. Era *Chicago*.

Os executivos envolvidos na produção foram até onde eu faria um show e me perguntaram se eu queria fazer o filme. Eu havia recusado três ou quatro filmes porque estava vivendo meu momento com o palco, fazendo shows. Não queria que nada me distraísse da música. Eu estava feliz.

Mas agora olho para trás e penso que, como se tratava de *Chicago*, eu deveria ter aceitado o papel. Eu tinha poder naquela época; queria tê-lo usado de modo mais ponderado, queria ter sido mais rebelde. Teria sido divertido fazer *Chicago*. São vários tipos de dança — todas as minhas favoritas: afetadas, femininas, estilo Pussycat Dolls, passos para despir-se do espartilho. Eu queria ter aceitado a proposta.

Eu poderia ter interpretado uma vilã que mata um homem, e dançaria e cantaria enquanto fizesse isso.

Eu provavelmente teria encontrado maneiras, teria treinado, para não me tornar uma personagem de *Chicago* da mesma forma que tinha feito com Lucy em *Crossroads*. Queria ter tentado fazer algo diferente. Se ao menos eu tivesse sido corajosa o bastante para sair da minha zona de conforto, feito mais coisas que não estivessem ligadas apenas ao que eu sabia. Mas eu estava comprometida a não criar problemas e a não reclamar mesmo quando algo me chateava.

Na minha vida pessoal, eu estava tão feliz. Justin e eu morávamos juntos em Orlando. Compartilhávamos uma linda e arejada casa de dois andares coberta por telhas e uma piscina nos fundos. Embora nós dois estivéssemos trabalhando muito, arranjávamos tempo para ficar juntos sempre que podíamos. Eu sempre voltava a cada poucos meses, assim Justin e eu podíamos ficar juntos por duas semanas, às vezes até por dois meses. Aquele era o nosso lar.

Certa semana, quando Jamie Lynn ainda era pequena, minha família foi nos visitar. Nós todos fomos à loja de brinquedos FAO Schwarz que ficava no shopping Pointe Orlando. Eles fecharam a loja inteira para nós. Minha irmã ganhou um conversível miniatura cujas portas funcionavam de verdade. Era um misto de carro de verdade e kart. De alguma forma, nós o levamos para Kentwood e ela dirigiu o carro por toda a vizinhança até não poder mais.

Aquela criança naquele carro era diferente de qualquer outra coisa — essa adorável menininha, dirigindo uma Mercedes vermelha em miniatura. Era a coisa mais fofinha que você poderia ver na vida. Eu juro por Deus, era inacreditável.

É assim que todos nós éramos com Jamie Lynn: *You see it, you like it, you want it, you got it.*[11] A meu ver, o mundo dela era a mú-

---

11 Em tradução livre, "Você vê, você gosta, você quer, você consegue". [N.E.]

sica "7 Rings" da Ariana Grande se tornando realidade. (Quando eu era criança, não tínhamos dinheiro. Minhas preciosidades eram minhas bonecas Madame Alexander. Havia dezenas delas para escolher. As pálpebras abriam e fechavam e todas elas tinham nomes. Algumas eram personagens fictícias ou históricas — como Scarlett O'Hara ou a Rainha Elizabeth. Eu tinha as meninas de *Mulherzinhas*. Quando ganhei minha décima quinta boneca, você poderia pensar que eu tinha ganhado na loteria!)

Essa foi uma época boa da minha vida. Eu estava tão apaixonada pelo Justin, simplesmente apaixonada. Não sei se quando você é mais jovem o amor é diferente, mas o que havia entre Justin e mim era especial. Ele não precisava dizer nada nem fazer nada para que eu me sentisse próxima a ele.

No Sul, as mães gostam de juntar as crianças e dizer: "Olha, hoje nós vamos para a igreja e vamos todos com roupas de cores iguais". Foi isso que fiz quando Justin e eu participamos do American Music Awards de 2001, que coapresentei com LL Cool J. Ainda não consigo acreditar que Justin ia usar jeans, então disse a ele: "Devíamos ir combinando! Vamos de jeans-com-jeans!".

No começo, sinceramente, achei que era piada. Não imaginava que meu estilista iria mesmo fazer isso e nunca pensei que Justin toparia isso. Mas os dois embarcaram nessa comigo.

O estilista trouxe o traje jeans do Justin, com um chapéu jeans para combinar com a jaqueta jeans e a calça jeans. Quando ele vestiu a roupa, pensei: *Uau, eu acho que a gente vai mesmo fazer isso!*

Justin e eu sempre íamos a eventos juntos. A gente se divertiu muito participando do Teen Choice Awards, e com frequência usávamos roupas com cores coordenadas. Mas com o jeans-com-

-jeans nós arrasamos. Naquela noite, meu espartilho estava tão apertado debaixo do vestido jeans que eu quase não aguentei.

Eu sei que foi cafona, mas também foi muito legal a seu modo, e sempre fico feliz quando fazem paródias desse look no Halloween. Ouvi Justin ser criticado por conta do look. Em um podcast no qual o estavam provocando por causa disso, ele disse: "Você faz muitas coisas quando é jovem e está apaixonado". E é exatamente isso. Estávamos eufóricos, e aquelas roupas refletiam isso.

Durante o nosso relacionamento, eu soube que Justin tinha me traído algumas vezes. Principalmente porque estava tão apaixonada e amando, deixei pra lá, mesmo quando os tabloides pareciam determinados a esfregar isso na minha cara. Quando o NSYNC foi para Londres em 2000, fotógrafos o flagraram com uma das garotas do All Saints em um carro. Mas eu nunca disse nada a respeito. Naquela época, a gente só estava junto fazia um ano.

Numa outra vez, estávamos em Vegas e um dos meus dançarinos que passava bastante tempo com ele me contou que Justin apontou o dedo para uma garota, comentando: "Cara, peguei essa ontem à noite". Não quero dizer de quem ele estava falando porque hoje em dia ela é muito famosa e agora está casada e tem filhos. Não quero que ela se sinta mal.

Meu amigo ficou chocado e acreditou que Justin só tinha dito isso porque estava chapado e querendo se gabar. Havia rumores sobre ele e várias dançarinas e groupies. Eu deixei tudo isso pra lá, mas estava claro que ele dormia com outras pessoas. Era uma daquelas coisas que você sabe, mas simplesmente não diz nada.

Então eu fiz a mesma coisa. Não aconteceu várias vezes — aconteceu *apenas uma vez*, com Wade Robson. Nós saímos uma noite e fomos a um bar espanhol. Dançamos muito. E fiquei com ele naquela noite.

Fui leal ao Justin por anos, só tinha olhos para ele, com essa única exceção, e admiti para Justin o que havia acontecido. Aquela noite ficou marcada como algo que acontece quando você é jovem igual a gente era, e Justin e eu superamos isso e continuamos juntos. Pensei que ficaríamos juntos para sempre. Eu esperava que ficássemos.

A certa altura, quando estávamos namorando, engravidei do Justin. Foi uma surpresa, mas, para mim, não foi uma tragédia. Eu amava tanto Justin. Sempre esperei que tivéssemos uma família juntos um dia. Isso só teria acontecido muito antes do que eu havia imaginado. Além disso, já estava feito.

Mas Justin definitivamente não ficou feliz com a gravidez. Disse que não estávamos prontos para um bebê na nossa vida, que éramos jovens demais.

Eu conseguia entender. Digo, eu entendia *um pouco*. Se ele não queria se tornar pai, eu não sentia que tinha muita escolha. Não queria forçá-lo a fazer algo que ele não queria. Nosso relacionamento era importante demais para mim. E tenho certeza de que as pessoas vão me odiar por isso, mas concordei em não ter o bebê.

Eu nunca poderia ter imaginado escolher fazer o aborto, mas, dadas as circunstâncias, foi o que fizemos.

Não sei se foi a decisão correta. Se a decisão só coubesse a mim, eu nunca teria feito isso. E, ainda assim, Justin tinha tanta certeza de que não queria ser pai.

Também tomamos uma decisão que, em retrospecto, na minha opinião, acabou sendo um erro: eu não deveria ir a um médico ou a um hospital para fazer o aborto. Era importante que ninguém descobrisse a respeito da gravidez ou do aborto, o que significava fazer tudo em casa.

Não contamos nem para a minha família. A única pessoa que soube, além do Justin e eu, foi Felicia, que sempre estava por perto para me ajudar. Me disseram: "pode doer um pouco, mas você vai ficar bem".

No dia marcado, com apenas Felicia e Justin lá, eu tomei as pílulas. Logo comecei a sentir cólicas excruciantes. Fui ao banheiro e fiquei ali por horas, deitada no chão, soluçando e gritando. *Eles deveriam ter me dopado com alguma coisa*, pensei. Eu queria algum tipo de anestesia. Queria ir ao médico. Eu estava sentindo tanto medo. Deitei ali, me perguntando se iria morrer.

Quando digo a você que foi doloroso — não consigo nem começar a descrever a sensação. A dor era inacreditável. Fiquei de joelhos, segurando o vaso sanitário. Por muito tempo, não consegui me mover. Até hoje essa foi uma das coisas mais agonizantes que passei na minha vida.

E mesmo assim eles não me levaram para o hospital. Justin entrou no banheiro e se deitou no chão comigo. A certa altura, pensou que a música talvez ajudasse, então pegou seu violão e ficou ali comigo, tocando.

Continuei chorando e soluçando até tudo acabar. Demorou horas, e não me lembro de como terminou, mas me lembro, vinte anos depois, da dor e do medo.

Depois disso, fiquei mal durante um tempo, principalmente porque eu ainda amava Justin demais. Era insano o quanto eu o amava, e para mim isso era triste.

Eu deveria ter percebido que o fim estava próximo, mas não percebi.

13

Quando Justin começou a gravar seu primeiro álbum solo, *Justified*, ele passou a ficar muito distante. Acho que foi porque havia decidido me usar como munição para seu álbum, então ficou estranho para Justin estar perto de mim, que olhava para ele com tanto carinho e devoção. No fim das contas, ele terminou o nosso relacionamento por mensagem de texto enquanto eu estava no set do clipe do remix de "Overprotected" de Darkchild. No intervalo entre as tomadas, li a mensagem enquanto estava no meu trailer, e depois tive que voltar a cantar e dançar.

Por mais que Justin tenha me machucado, o amor era grande demais, e quando ele me deixou eu fiquei *destruída*. Quando digo destruída, quero dizer que mal consegui *falar* durante meses. Sempre que alguém me perguntava sobre ele, tudo que eu conseguia fazer era chorar. Não sei se estava clinicamente em choque, mas era assim que eu me sentia.

Todos que me conheciam pensavam que havia algo de muito, muito errado acontecendo comigo. Voltei para minha casa em Kentwood e não conseguia falar com a minha família ou com os meus amigos. Mal saía de casa. Eu estava tão desnorteada. Ficava deitada na minha cama olhando para o teto.

Justin viajou até a Louisiana para me visitar. Ele levou consigo uma longa carta que havia escrito e emoldurado. Eu ainda a tenho debaixo da minha cama. No final, dizia — só de pensar nisso sinto vontade de chorar: "Não consigo respirar sem você". Essas foram as últimas palavras da carta.

Ao ler isso, pensei: *Droga. Ele é um baita escritor.* Porque foi exatamente assim que me senti. Parecia que eu estava quase sufocando, como se não conseguisse respirar depois de tudo o que tinha acontecido. Fato é que, mesmo depois de tê-lo visto e de ter lido a carta, ainda não havia saído do transe em que estava. Ele fez tudo isso, foi até lá me ver, e eu ainda não conseguia falar — com ele ou com qualquer outra pessoa.

14

Embora a última coisa que quisesse fazer fosse estar no palco, eu ainda tinha datas de turnê no meu contrato, então voltei para cumprir meus compromissos. Tudo o que eu queria era ficar longe de tudo: ter dias e noites só pra mim. Caminhar até o píer de Santa Monica e sentir o cheiro do mar, ouvir o barulho de uma montanha-russa, ficar observando o oceano. Em vez disso, todos os dias eram exaustivos. *Carregar. Descarregar. Passagem de som. Sessão de fotos. Perguntar: "em que cidade nós estamos mesmo?".*

Eu havia adorado a turnê Dream Within a Dream Tour quando começou, mas ela acabou se tornando extenuante. Eu estava mental e fisicamente cansada. Queria pôr fim a tudo. Comecei a fantasiar a ideia de abrir uma pequena loja em Venice Beach com Felicia e abandonar o show business completamente. Com a dádiva da experiência, posso ver que não havia dado a mim mesma tempo o suficiente para me curar do término com Justin.

★ ★ ★

No fim de julho de 2002, bem quando a turnê estava terminando, fomos para o sul fazer um show na Cidade do México. Mas chegar lá foi quase um desastre.

Estávamos viajando em vans e, assim que cruzamos a fronteira, paramos de repente. Fomos interceptados por um bando de caras que seguravam as maiores armas que eu já tinha visto. Fiquei apavorada; parecia que estávamos sendo emboscados. Simplesmente não fazia sentido para mim, mas tudo o que eu sabia era que estávamos cercados por aqueles homens furiosos. Todos na minha van estavam muito tensos; eu tinha meu guarda-costas comigo, mas ninguém sabia o que iria acontecer. Depois do que pareceu uma eternidade, achei que algum tipo de conversa de paz estava rolando — era como em um filme. Ainda é um mistério para mim o que realmente aconteceu, mas, no fim das contas, fomos autorizados a prosseguir e pudemos tocar para cinquenta mil pessoas (embora o segundo show, no dia seguinte, tenha sido cancelado no meio por causa de uma forte tempestade).

O show cancelado foi a última data da Dream Within a Dream Tour, mas quando eu dizia para as pessoas que depois que a turnê terminasse eu queria descansar, todo mundo parecia ficar nervoso. Quando você é bem-sucedida em alguma coisa, há muita pressão para continuar, mesmo que já não esteja mais gostando de fazer o que faz. E como eu rapidamente descobriria, você realmente não pode voltar para casa.

Dei uma entrevista para a revista *People* na Louisiana, por razões que me pareceram ridículas: eu não estava promovendo nada, mas a minha equipe achou que eu deveria mostrar que estava bem e "apenas fazendo uma pequena pausa".

O fotógrafo tirou fotos minhas do lado de fora e depois dentro de casa, com meus cães e a minha mãe no sofá. Fizeram eu esvaziar a minha bolsa para mostrar que eu não tinha remédios nem cigarros: tudo o que encontraram foram chicletes Juicy Fruit, perfume de baunilha, pastilhas de menta e uma garrafinha de erva-de-são-joão. "Minha filha está indo maravilhosamente bem", disse minha mãe com confiança ao repórter. "Ela nunca, nunca esteve nem perto de ter um colapso."

Em parte, o que tornou esse período difícil foi o fato de a família do Justin ser a única família verdadeira e amorosa que eu tive. Nas férias, a única família que eu visitava era a dele. Eu conhecia sua avó e seu avô e os amava muito. Para mim, eles eram minha casa. Minha mãe ia nos visitar de vez em quando, mas não era por causa dela que eu ia para *casa*, jamais.

Minha mãe estava tentando se recuperar do divórcio com meu pai, que ela finalmente havia conseguido; depressiva e se automedicando, mal conseguia se levantar do sofá. Ninguém sabia do paradeiro do meu pai. E minha irmãzinha — bem, quando digo a você que ela era uma *completa vadia*, não estou exagerando.

Sempre fui a abelha-operária. Enquanto fazia meu trabalho na estrada com Felicia, não prestei muita atenção ao que estava acontecendo em Kentwood. Mas quando voltei para casa, vi como as coisas tinham mudado. Minha mãe servia a Jamie enquanto ela assistia TV, levando milk-shakes de chocolate para ela. Ficou claro que aquela garota dominava o pedaço.

Enquanto isso, era como se eu fosse uma filha-fantasma. Eu me lembro de entrar na sala e sentir que ninguém tinha me visto.

Jamie Lynn só via TV. Minha mãe, que já havia sido a pessoa mais próxima de mim no mundo, estava em outro planeta.

E o jeito como a adolescente Jamie falava com a minha mãe — meu queixo caía. Eu a ouvia vomitar essas palavras odiosas e me virava para minha mãe e perguntava: "Você vai permitir que essa *bruxinha* fale assim com você?". Estou dizendo, ela era *má*.

O modo como Jamie Lynn tinha mudado fez eu me sentir traída. Eu havia comprado uma casa para Jamie Lynn crescer. Ela não ficou exatamente grata por isso. Mais tarde, ela diria, "Pra que ela comprou *uma casa* para a gente?", como se isso fosse algum tipo de imposição. Mas aquela casa tinha sido um presente. Eu a comprei porque nossa família precisava de uma casa nova e eu queria que ela tivesse uma vida melhor do que eu tive.

A vida na Louisiana passou sem que eu me desse conta. Eu senti como se não tivesse com quem conversar. Passar por aquele término, voltar para casa e ver o quanto eu não me encaixava mais em lugar nenhum me fez perceber que eu estava tecnicamente crescendo, me tornando uma mulher. E, no entanto, sinceramente era como se eu tivesse regredido e me tornado mais nova na minha mente. Você já viu o filme *O curioso caso de Benjamin Button*? Foi assim que eu me senti. De alguma forma, naquele ano, ao me tornar mais vulnerável, comecei a me sentir criança novamente.

15

Para recuperar a minha confiança, em setembro de 2002 fui a Milão para visitar Donatella Versace. Essa viagem me revigorou — me fez lembrar de que o mundo ainda era divertido. Bebemos um vinho maravilhoso e comemos uma comida maravilhosa. Donatella era uma anfitriã animada. Eu esperava que as coisas mudassem um pouco a partir daquele momento.

Ela havia me convidado para ir à Itália assistir a um de seus desfiles. Donatella me vestiu com um lindo vestido nude com aplicações nas cores do arco-íris. Era para eu cantar, mas a verdade é que eu não estava com vontade, então, depois de eu ter posado um pouquinho para fotos, Donatella me disse que poderíamos ir com calma. Ela tocou o cover que eu havia gravado de "I Love Rock'n'Roll", da Joan Jett, dei um oi para as modelos e foi isso.

Então chegou a hora da festa. Donatella é conhecida por suas festas luxuosas, e aquela não foi exceção. Eu me lembro de ver o Lenny Kravitz lá, todas essas pessoas descoladas. Ir àquela festa foi realmente a primeira coisa que fiz para me expor um pouco depois do rompimento com Justin — sozinha, inocente.

Durante a festa, eu reparei em um cara e me lembro de que o achei muito gato. Ele parecia ser brasileiro: cabelos escuros, bonito, fumando um baseado — o típico bad boy. Ele era diferente dos típicos atores de Los Angeles que eu já tinha conhecido — parecia mais um homem de verdade, o tipo de homem com quem você só passa uma noite. Ele era apenas sexo.

Quando o notei pela primeira vez, ele estava conversando com duas garotas, mas eu sentia que ele queria falar comigo.

Por fim, começamos a conversar e decidi que gostaria de tomar uns drinques com ele no hotel onde estava hospedada. Fomos para o meu carro, mas, durante o trajeto, ele fez algo que simplesmente me desanimou — sério, nem consigo lembrar o que foi. Mas foi uma coisinha que me irritou de verdade, então mandei o motorista encostar e, sem dizer uma palavra, eu mandei o cara ir para a beira da estrada e o deixei lá.

Agora que sou mãe, eu nunca faria algo assim — seria mais como: "Vou deixar você aqui neste lugar a esta hora…". Naquela época, aos vinte anos de idade, foi puro instinto. Cometi um grande erro ao deixar aquele estranho entrar no meu carro e o expulsei.

Logo depois que retornei, Justin estava se preparando para lançar seu álbum solo, *Justified*. No programa de tv 20/20, ele cantou uma música inédita para Barbara Walters, chamada "Don't Go (Horrible Woman)", que parecia ser sobre mim: "Eu achei que nosso amor fosse tão forte. Eu acho que estava terrivelmente enganado. Mas olhando de modo positivo, ei, garota, ao menos você me deu uma música sobre outra Mulher Horrível".

Menos de um mês depois, ele lançou o clipe da música "Cry Me a River", no qual uma mulher que se parece comigo o trai, e ele fica vagando triste na chuva. Na mídia, fui descrita como uma prostituta que havia partido o coração do menino de ouro da América. A verdade: eu estava em coma na Louisiana, e ele corria alegremente por Hollywood.

Posso apenas dizer que, tanto em seu álbum explosivo quanto nas matérias que saíram na imprensa a respeito do disco, Justin deixou de mencionar as diversas vezes em que me traiu?

Em Hollywood sempre houve mais liberdade para os homens do que para as mulheres. E eu vejo como eles são encorajados a falar mal das mulheres para se tornarem famosos e poderosos. Mas fiquei destruída.

A ideia de eu tê-lo traído deu ao álbum mais angústia, deu um objetivo: falar merda sobre uma mulher infiel. O mundo do hip-hop naquele tempo adorava uma narrativa com o tema "Foda-se, vadia!". Vingar-se das mulheres por se considerar desrespeitado era a moda na época. "Kim", a violenta música de vingança de Eminem, fez muito sucesso. O único problema com a narrativa era que, no nosso caso, não tinha sido bem assim.

"Cry Me a River" foi muito bem. Todo mundo sentiu bastante pena dele. E isso me envergonhou.

Senti que não havia como eu contar o meu lado da história naquele momento. Eu não poderia explicar porque sabia que ninguém ficaria do meu lado, já que Justin havia convencido o mundo com sua versão.

Não acho que Justin tenha percebido o poder que tinha ao me envergonhar. Acho que até hoje ele não entende. Depois que "Cry Me a River" foi lançada, aonde quer que fosse, eu era vaiada. Eu ia a clubes e ouvia "uuuuuuu". Um dia, eu fui a um jogo dos

Lakers com a minha irmãzinha e um dos amigos do meu irmão, e o lugar todo, a arena toda, me vaiou.

Justin disse para todo mundo que nós tivemos um relacionamento sexual, o que fez algumas pessoas me retratarem não apenas como uma vagabunda traidora, mas também como uma mentirosa e hipócrita. Dado que eu tinha tantos fãs adolescentes, meus empresários e o pessoal da imprensa durante muito tempo tentaram me apresentar como uma virgem eterna — não importava que Justin e eu morávamos juntos, e eu fazia sexo desde os catorze anos.

Fiquei furiosa por ele ter me exposto como sexualmente ativa? Não. Para ser honesta com você, eu gostei que Justin tenha feito isso. Por que os meus empresários se esforçaram tanto para alegar que eu era algum tipo de jovem virgem mesmo ao vinte anos de idade? Era da conta de quem se eu tinha transado ou não?

Eu gostei quando Oprah me disse no programa dela que a minha vida sexual não era da conta de ninguém, e que, quando o assunto era virgindade, "você não precisa fazer uma declaração ao mundo se mudar de ideia".

Sim, quando era adolescente, vivi aquele papel porque todo mundo estava dando bastante importância a isso. Mas, se você pensar a respeito, foi muito estúpido as pessoas descreverem o meu corpo daquele jeito, apontarem para mim e dizerem: "Olha! Uma virgem!". Isso não é da conta de ninguém. E tirou todo o meu foco como cantora e artista. Eu tinha trabalhado tanto nas minhas músicas e apresentações. Mas alguns repórteres só conseguiam pensar em perguntar para mim se os meus seios eram ou naturais não (eles eram, na verdade) ou se o meu hímen estava intacto ou não.

O modo como Justin admitiu para todo mundo que tivemos um relacionamento sexual quebrou o gelo e fez com que eu nunca tivesse que declarar que não era mais virgem. Ele falar sobre termos transado nunca me incomodou, e eu o defendi de quem o criticava por fazer isso. "Isso é tão rude!", as pessoas comentavam sobre ele falando de mim sexualmente. Mas eu gostei. O que eu o ouvi dizer foi: "Ela é uma *mulher*. Não, ela não é virgem. Cale a boca".

Quando era criança, sempre tive um peso na consciência, muita vergonha e a sensação de que a minha família pensava que eu simplesmente era má. A tristeza e a solidão que me atingiam pareciam de algum modo serem culpa minha, como se eu merecesse infelicidade e má sorte. Eu sabia a verdade sobre o nosso relacionamento, e não era em nada parecida com a forma pela qual estava sendo retratada, mas ainda imaginava que, se estava sofrendo, eu devia ter merecido. Ao longo dos anos, com certeza fiz coisas ruins. Eu acredito em carma, então quando coisas ruins acontecem, imagino que seja apenas a lei do carma trocando umas ideias comigo.

Eu sempre fui perturbadoramente empática. O que as pessoas estão sentindo em Nebraska eu consigo subconscientemente sentir, mesmo estando a milhares de quilômetros distante. Às vezes, o período menstrual das mulheres fica sincronizado; sinto que as minhas emoções estão sempre sincronizadas com as emoções das pessoas ao meu redor. Não sei que palavra hippie você quer usar — consciência cósmica, intuição, conexão psíquica. O que eu sei é que, com absoluta certeza, posso sentir a energia de outras pessoas. Não posso fazer nada além de aceitar.

A esta altura, você pode estar dizendo para si mesmo: "Ah, meu Deus, ela vai realmente falar disso, dessa coisa new age?".

Apenas por mais um minuto.

A questão é que eu era tão sensitiva, e era tão jovem, e ainda estava me recuperando do aborto e do término; não consegui lidar bem com as coisas. Justin descreveu nosso tempo juntos me retratando como a vilã, e acreditei nisso, e desde então me senti como se estivesse sob alguma espécie de maldição.

E, no entanto, também comecei a acreditar que, se isso fosse verdade, se eu tivesse tanto carma ruim assim, caberia a mim — como uma adulta, como uma mulher — reverter a minha sorte, trazer boa sorte para mim mesma.

Eu não aguentava mais, então fugi para o Arizona com uma amiga. Acontece que aquela amiga namorava o melhor amigo do Justin, e todos nós tínhamos terminado na mesma época, então decidimos fazer uma viagem para fugir de tudo isso. A gente se encontrou e decidiu deixar tudo para trás.

Por conta do que aconteceu com ela, minha amiga também estava com o coração partido, e nós conversamos bastante, não apenas sobre a tristeza e a solidão que sentíamos, e fiquei grata por sua amizade.

O céu estava repleto de estrelas enquanto dirigíamos rápido pelo deserto em um conversível com a capota abaixada, o vento soprando em nossos cabelos — sem música tocando, apenas o som da noite passando por nós.

Ao observarmos a estrada que se estendia diante de nós, um sentimento estranho tomou conta de mim. Por muito tempo, eu fazia tudo tão rapidamente, como se eu não conseguisse recuperar o fôlego. Naquele momento, senti algo diferente em mim: uma beleza profunda, sobrenatural e humilde. Olhei para a minha amiga, pensando se deveria comentar algo. Mas o que eu poderia dizer? *Você acredita em aliens?* Então permaneci em silêncio e sentada com esse sentimento por um longo tempo.

Do nada, escutei a voz dela junto ao vento. "Você sentiu isso?", disse minha amiga. Ela olhou para mim. "O que é *isso*?"

Seja lá o que fosse, ela também tinha sentido.

Eu peguei a mão dela e a segurei com força.

O poeta Rumi afirma que uma ferida é o lugar por onde a luz adentra você. Eu sempre acreditei nisso. Naquela noite no Arizona, nós sentimos o que precisávamos sentir naquele momento. Éramos espiritualmente muito abertas e tão ignorantes. Aquela experiência nos mostrou que havia mais do que os olhos podiam ver — chame isso de Deus, chame isso de poder superior ou chame isso de experiência paranormal. Seja o que for, foi real o bastante a ponto de podermos vivenciar isso juntas. Enquanto estava acontecendo, não quis comentar com a minha amiga porque eu estava com vergonha. Estava com receio de ela pensar que eu tinha enlouquecido.

Foram tantas as vezes em que tive medo de falar porque temia que alguém achasse que eu estava louca. Mas aprendi a lição agora, da maneira mais difícil. Você precisa falar o que sente, mesmo que isso assuste. Você precisa contar a sua história. Você precisa elevar a sua voz.

    Ainda havia muito a descobrir naquela noite, quando eu me sentia perdida e senti Deus no deserto. Mas eu sabia que não permitiria que a escuridão me consumisse. Mesmo na noite mais escura, você ainda pode encontrar muita luz.

16

Justin acabou dormindo com seis ou sete garotas nas semanas seguintes ao nosso término oficial — ou foi o que me contaram. Ei, eu entendo, ele era o Justin Timberlake. Era a primeira vez que estava solteiro. Ele era o sonho de qualquer garota. Eu estava apaixonada por ele. Entendia a fascinação que as pessoas tinham por ele.

Decidi: já que Justin estava ficando com outras pessoas, eu também deveria tentar. Fazia um tempo que eu não saía com ninguém, pois estava me recuperando do término e em turnê. Naquele inverno, vi um cara que achei um gato, e um amigo meu que era promoter de uma casa noturna disse que eu tinha bom gosto.

"Aquele cara é muito legal", disse meu amigo. "O nome dele é Colin Farrell e ele está gravando um filme agora."

Bem, falando em coragem — entrei no meu carro e dirigi até o set onde estava sendo gravado o filme de ação dele, *S.W.A.T. — Comando especial*. Quem eu achava que era?

Não havia seguranças nem nada, então fui direto até o estúdio, onde estavam construindo uma parte do cenário em uma casa. Quando o diretor me viu, falou: "Venha sentar aqui na minha cadeira!".

"O.k.", respondi. Me sentei na cadeira e fiquei vendo as gravações.

Colin se aproximou e disse: "Você tem alguma orientação a respeito do que eu devo fazer aqui?". Ele estava me convidando para dirigi-lo.

Nós acabamos lutando durante duas semanas. *Luta* é a única palavra em que consigo pensar para definir o que tivemos — a gente ficou grudado, se pegando com tanta paixão que parecia que estávamos em uma luta livre.

Durante o tempo divertido que passamos juntos, ele me levou à première de um thriller sobre espionagem que tinha feito com Al Pacino, chamado *O novato*. Fiquei muito lisonjeada por ele ter me convidado. Usei a parte de cima de um baby doll. Achei que havia escolhido uma blusa de verdade, já que tinha pequenas tachinhas, mas eu vejo as fotos e penso: *Sim, eu definitivamente usei a blusa de um baby doll para ir à première do Colin Farrell.*

Eu estava superempolgada por participar do evento. A família inteira do Colin estava lá, e eles foram muito atenciosos comigo.

Como havia feito antes, quando me sentia muito ligada a um homem, tentava me convencer de todas as maneiras de que não era nada de mais, de que estávamos apenas nos divertindo e, nesse caso, eu estava vulnerável porque ainda não tinha superado Justin. Mas, por um breve momento, realmente achei que poderia existir algo ali.

As decepções na minha vida amorosa não foram os únicos motivos para eu ter ficado isolada. Eu me sentia muito estranha o tempo todo.

Tentei ser sociável. Natalie Portman — que eu conhecia desde quando éramos garotinhas no circuito teatral de Nova York — e eu demos uma festa de Ano Novo juntas.

Mas isso exigiu um tremendo esforço. Na maior parte dos dias, eu não conseguia sequer ligar para uma amiga. A ideia de sair e ser corajosa nos palcos ou em baladas, e mesmo em festas ou em jantares, me aterrorizava. Era raro eu me sentir alegre por estar rodeada de pessoas. Eu tinha uma séria ansiedade social na maior parte do tempo.

A ansiedade social faz com que uma conversa, algo que parece completamente normal para a maioria das pessoas, seja motivo de *sofrimento* para você. Estar perto de pessoas, principalmente em uma festa ou em qualquer outra situação em que seja esperado que se porte bem, provoca uma onda de constrangimento. Eu tinha medo de ser julgada ou de dizer algo estúpido. Quando esse sentimento surge, quero ficar sozinha. Sinto medo e só penso em pedir licença para ir ao banheiro e em seguida sair de fininho.

Eu oscilava entre ser bastante sociável e ficar inacreditavelmente isolada. Ouvia constantemente que parecia ser muito confiante. Era difícil para qualquer pessoa imaginar que alguém que era capaz de se apresentar para milhares de pessoas em um momento podia, nos bastidores, com apenas uma ou duas pessoas, ser dominada pelo pânico.

A ansiedade é estranha desse jeito. E a minha crescia à medida que ficou claro para mim que qualquer coisa que eu fizesse — e até mesmo muitas coisas que eu não fizesse — virava notícia na primeira página dos jornais. Essas histórias sempre eram acompanhadas por fotos minhas horrorosas, tiradas quando eu menos esperava. Eu já era propensa a me preocupar com o que os outros pensavam a meu respeito; a atenção do país inteiro tornou a minha tendência natural de preocupação em algo insuportável.

Enquanto as notícias sobre mim com frequência não eram amistosas, a imprensa de entretenimento estava repleta de histórias positivas sobre Justin e Christina Aguilera. Justin saiu na capa da *Rolling Stone* seminu. Christina foi capa da revista *Blender*, vestida como uma madame do Velho Oeste. Eles saíram juntos na capa da *Rolling Stone*, ele com uma regata preta, olhando para Christina de um jeito sexy, e ela com uma blusa lace up preta. Nessa matéria, ela disse que achava que Justin e eu deveríamos voltar, o que foi algo muito confuso, já que ela havia sido muito negativa antes.

Ver pessoas que eu tinha conhecido tão intimamente falarem sobre mim desse modo para a imprensa doeu. Mesmo que não estivessem tentando ser cruéis, parecia que estavam simplesmente cutucando a ferida. Por que era tão fácil para todos se esquecerem de que eu era um ser humano — vulnerável o suficiente para que essas declarações me machucassem?

Desejando desaparecer, acabei morando em Nova York sozinha por meses, em um apartamento de quatro andares onde a Cher já havia morado, em NoHo. O imóvel tinha pé-direito alto, terraço com vista para o Empire State Building e uma lareira muito mais chique que a que tínhamos na sala da nossa casa em Kentwood. Teria sido o apartamento perfeito para eu chamar de lar e assim poder conhecer mais a cidade, porém eu dificilmente saía de lá. Em uma das únicas vezes que fiz isso, um homem que estava atrás de mim no elevador disse algo que me fez rir; eu me virei para ver quem era: Robin Williams.

Em determinado momento, percebi que de alguma forma havia perdido a chave do apartamento. Eu era, indiscutivelmente, a maior estrela da Terra e não tinha nem a chave do meu próprio apartamento. Que idiota de merda. Eu estava presa, tanto emocional quanto fisicamente; sem uma chave, não poderia ir a lugar algum. Também não estava disposta a me comunicar com ninguém. Eu não tinha nada a dizer. (Mas saiba que hoje em dia eu sempre tenho a chave da minha casa comigo.)

Eu não ia para a academia. Não saía para comer. Eu só conversava com meu guarda-costas e Felicia, que, agora que eu não precisava mais de uma acompanhante, tinha se tornado minha assistente e ainda era minha amiga. Desapareci completamente. Todas as refeições que eu fazia eram comida de delivery. E isso provavelmente vai parecer estranho, mas eu estava contente ficando em casa. Eu realmente gostava. Me sentia segura.

Em raras ocasiões, eu saía. Uma noite, coloquei um vestido de 129 dólares da Bebe e saltos altos, e minha prima me levou a um clube underground que tinha um ar sexy, pé-direito baixo e paredes vermelhas. Dei umas tragadas em um baseado, foi minha primeira vez fumando maconha. Mais tarde, voltei para casa a pé para poder conhecer a cidade, e quebrei um dos saltos no caminho. Quando cheguei ao apartamento, fui ao terraço e fiquei olhando as estrelas por horas. Naquele momento, me conectei totalmente com Nova York.

Uma das poucas pessoas que me visitaram durante aquele período estranho e surreal da minha vida foi a Madonna. Ela entrou no apartamento e, imediatamente, é claro, reinou. Eu me lembro de pensar: *Esta sala agora é da Madonna.* Deslumbrantemente linda,

Madonna irradiava poder e autoconfiança. Ela foi até a janela, olhou para fora e disse: "Bela vista".

"Sim, é uma vista legal, eu acho."

A extrema autoconfiança da Madonna me ajudou muito a enxergar minha situação sob uma nova perspectiva. Acho que ela provavelmente teve algum tipo de percepção intuitiva a respeito do que eu estava passando. Eu precisava de um pouco de orientação naquele momento. Estava confusa com a minha vida. Ela tentou ser minha mentora.

Em certo momento, ela realizou a cerimônia da fita vermelha comigo para me iniciar na Cabala e me deu um baú cheio de livros do *Zohar* para rezar. Na minha nuca, tatuei uma palavra em hebraico que significa um dos 72 nomes de Deus. Alguns cabalistas consideram que significa *cura*, algo que eu estava o tentando alcançar.

A Madonna, de muitas maneiras, me influenciou positivamente. Ela sugeriu que eu reservasse um tempo para a minha alma, e tentei fazer isso. Ela era um exemplo de força que eu precisava ter. Havia diversos modos de ser uma mulher na indústria fonográfica: você poderia ter a reputação por ser uma diva, poderia ser profissional, ou poderia ser "legal". Eu sempre me esforcei para agradar — agradar aos meus pais, agradar ao meu público, agradar a todos.

Devo ter herdado esse desamparo da minha mãe. Eu via a forma como a minha irmã e o meu pai a tratavam e como ela simplesmente aceitava. No início da minha carreira, segui esse exemplo e me tornei passiva. Queria ter tido uma mentora que fosse um modelo de mulher fodona para mim; dessa forma eu teria aprendido como fazer isso mais cedo. Se pudesse voltar atrás, tentaria ser pai e mãe de mim mesma, tentaria ser a minha própria parceira, tentaria ser a minha própria defensora — do jeito que eu sabia que a Madonna fazia. Ela enfrentou tanto sexismo e bullying do público e da indústria fonográfica, e havia sido envergonhada por causa de sua sexualidade tantas vezes, mas sempre superou tudo isso.

Quando a Madonna recebeu o prêmio Mulher do Ano da Billboard alguns anos atrás, ela afirmou que havia sido submetida a "descarada misoginia, sexismo, bullying constante e abuso implacável... Se você é uma mulher, você precisa jogar o jogo. Que jogo é esse? Você pode ser bonita, meiga e sexy. Mas não seja muito inteligente. Não tenha opinião".

Ela está certa sobre a indústria da música — o mundo todo, na verdade — ser mais favorável aos homens. Sobretudo se você é "legal", como eu, então aí você pode ser completamente destruída. Naquele momento, eu tinha me tornado quase "legal demais". Aonde quer que eu fosse, Felicia escrevia bilhetes de agradecimento para o chef, o bartender, a secretária. Até hoje, como uma garota do Sul, acredito em bilhetes de agradecimento escritos à mão.

A Madonna viu o quanto eu queria agradar e o quanto eu queria fazer o que os outros faziam em vez de tomar uma decisão e dizer: "Certo, pessoal! Prestem atenção! É assim que as coisas vão ser a partir de agora".

Nós decidimos nos apresentar juntas no VMA.

Em todos os ensaios, mandávamos um beijinho no ar uma para a outra. Cerca de dois minutos antes da apresentação, eu estava sentada ao lado do palco, pensando naquela que seria a minha maior apresentação no VMA até então, na qual eu tiraria um terno e revelaria um look cheio de brilho. Pensei comigo mesma: *Eu quero um momento como este, de novo, este ano. Com o beijo e tudo, será que eu devo simplesmente me jogar?*

Muito se falou daquele beijo. A Oprah perguntou para a Madonna a respeito. O beijo foi encarado como um acontecimento de grande impacto na cultura — A "Britney beijando a Madonna!" — e rendeu muita atenção para a gente.

Enquanto ensaiávamos para o VMA, eu também tive a ideia para uma parceria. No Culver City Studio, minha equipe e eu estávamos sentados em cadeiras dobráveis prateadas, falando sobre a gravadora não estar empolgada com a minha nova música, "Me Against the Music", que eu amava. Eu tinha acabado de gravar "I'm a Slave 4 U", do meu último álbum, e Barry Weiss, que dirigia minha gravadora, queria mais músicas como aquela. Mas continuei insistindo em "Me Against the Music" — bastante.

"E se a gente tivesse um feat. com ela?", sugeri. Uma música pode se tornar um sucesso estrondoso quando algo pontual propicia isso. Pensei que, se pudéssemos encontrar alguém para um feat. nessa música, poderíamos elaborar uma história em torno disso.

"Quem você quer que faça o feat. com você?", meu empresário perguntou.

"Ela!", respondi, apontando para a Madonna do outro lado da sala. "Vamos chamá-la para participar!"

"Puta merda!", ele replicou. "Sim, isso vai dar certo." Em vez de abordarmos a equipe da Madonna, decidimos que eu a convidaria pessoalmente.

Fui até a Madonna. "Vamos conversar", falei. Eu expliquei a ela quão divertido seria se ela topasse cantar a música comigo e o quanto eu acreditava que poderíamos ajudar uma à outra: seria algo que beneficiaria nós duas. Ela concordou.

"Me Against the Music" ainda é uma de minhas músicas favoritas, e parte do que a torna tão memorável é a parceria com a Madonna.

No primeiro dia de gravação do clipe, gravação esta que deveria levar de dois a três dias, nos informaram que o terno branco da Madonna estava com uma parte descosturada, e teriam que chamar uma costureira para consertá-lo, o que atrasou o início das gravações. Eu acabei tendo que ficar horas sentada no meu camarim esperando que o terno fosse consertado.

É sério isso?, pensei. Eu nunca nem havia imaginado que existisse a possibilidade de uma pessoa demorar muito tempo para fazer algo. Se um salto meu quebrasse, eu nunca deixaria a produção ficar me esperando enquanto eu o consertasse. Eu faria o que o diretor me dissesse para fazer, mesmo que eu tivesse que mancar pelo estúdio sem um dos saltos, mesmo que eu tivesse que aparecer descalça.

Durante a filmagem, fiquei impressionada com a determinação da Madonna em não abrir mão de suas convicções. Ela mantinha o foco em si mesma. Uma colaboração com a Madonna significava acompanhar suas ideias e seguir seu ritmo durante dias. Foi uma lição importante para mim, uma lição que levaria muito tempo para eu assimilar: ela exigia poder, e assim o obtinha. A Madonna era o centro das atenções porque essa era a condição dela para ir aonde quer que fosse. Ela construiu aquela vida para si mesma. Eu esperava encontrar maneiras de fazer o mesmo, preservando características da garota legal que havia em mim.

17

Eu estava feliz com meu novo álbum, *In the Zone*. "Me Against the Music", feat. com a Madonna, foi o primeiro single do álbum. O single seguinte foi "Toxic", pelo qual ganhei um Grammy. "Toxic" foi uma música inovadora e também um enorme sucesso, e ainda é uma das que eu mais gosto de cantar.

Para promover o álbum, eu e uma equipe da MTV andamos por Nova York uma noite para filmar um especial chamado *In the Zone & Out All Night*. Nós percorremos a cidade toda para irmos a três casas noturnas — Show, Splash e Avalon. Foi eletrizante ver um monte de gente dançando as músicas novas. Como aconteceu repetidas vezes na minha carreira, meus fãs me fizeram lembrar do porquê eu faço o que faço.

Mas, então, um dia, ouvi uma batida na minha porta. Quando abri, quatro homens simplesmente entraram e passaram por mim; eu não reconheci três deles. Nunca tinha visto aqueles rostos na vida.

O quarto homem era meu pai.

Eles me fizeram sentar no sofá (o mesmo que até hoje tenho no meu quarto). Imediatamente, começaram a me bombardear com perguntas, perguntas e mais perguntas. Eu fiquei muda: não estava disposta a falar com ninguém. Não tinha nada a dizer.

No dia seguinte, recebi uma ligação da minha equipe, informando que eu falaria com Diane Sawyer... e naquele mesmo sofá. Por causa do que havia acontecido com Justin e de tudo pelo que passei, eu sentia que não era mais capaz de me comunicar com o mundo. Eu tinha uma nuvem escura sobre a minha cabeça; estava traumatizada.

Com frequência me isolava no meu apartamento; agora eu estava sendo obrigada a falar com Diane Sawyer nele e chorar na frente do país inteiro.

Foi totalmente humilhante. Não me disseram com antecedência quais seriam as perguntas, e todas foram constrangedoras. Eu estava vulnerável demais naquele momento, sensível demais, para conceder esse tipo de entrevista. Ela perguntou coisas do tipo: "Ele tem aparecido na televisão e tem falado que você partiu o coração dele. Você fez algo que causou muita dor a ele. Muito sofrimento. O que você fez?".

Eu não queria compartilhar nada da minha vida particular com o mundo. Eu não tinha que dar à imprensa detalhes sobre o término do meu relacionamento. Não deveria ter sido forçada a falar em rede nacional, ter sido forçada a chorar na frente daquela estranha, uma mulher que estava incansavelmente me cercando, fazendo uma pergunta cruel atrás da outra. Em vez disso, senti que estava sendo explorada, exposta na frente do mundo inteiro.

Aquela entrevista foi um ponto de ruptura para mim internamente — um botão foi acionado. Senti algo obscuro tomar conta do meu corpo. Eu me senti transformando, quase como um lobisomem, em uma Pessoa Má.

Sinceramente, sinto que aquele momento da minha vida deveria ter sido um momento de crescimento — não deveria ter sido compartilhado com o mundo. Teria sido a melhor maneira de curar.

Mas não tive escolha. Parecia que ninguém realmente se importava com o que eu estava sentindo.

De volta à minha casa na Louisiana para passar as festas de final de ano, convidei alguns amigos. Estávamos tentando nos divertir na casa de hóspedes que eu tinha construído atrás da casa principal — e minha mãe ficou incomodada por estarmos fazendo barulho. De repente, me dei conta de que eu tinha dinheiro o bastante para não precisarmos ficar na Louisiana. Fiz uma reserva para irmos para Las Vegas passar o Ano Novo e alguns amigos da minha turnê se juntaram a nós.

A gente se divertiu horrores no Palms Casino Resort e bebeu — *muito*. Admito que agimos de forma fenomenalmente estúpida. Também digo que foi uma das vezes em que quase me senti sobrecarregada por ter tanta liberdade na Cidade do Pecado. Eu era uma garota que havia trabalhado pra caramba e, de repente, a agenda estava vazia por alguns dias, então: *Oi, álcool!*

Paris Hilton apareceu no cassino para ficar com a gente e tomar uns drinques. Antes que eu me desse conta, subimos nas mesas, tiramos os sapatos e saímos correndo pela balada como duas fadas idiotas. Ninguém se machucou, e eu curti demais com Paris — a gente simplesmente estava se divertindo e fazemos isso toda vez que nos encontramos.

Eu não fui rude com ninguém. Foi uma diversão inocente. Muita gente provavelmente vai julgar, e agora não se pode mais fazer algo do tipo porque as pessoas pegam o celular e filmam você. Mas, naquela época, naquele momento em Vegas, nós agimos como bobas. Com a imprensa de olho em absolutamente tudo que eu fazia, eu não estava interessada em causar problemas — era sobre me sentir livre e aproveitar tudo o que eu havia conquistado com trabalho árduo.

Como todo jovem nos seus vinte e poucos anos costuma fazer depois de uns drinques, eu acabei na cama com um amigo das antigas — um amigo de infância que eu conhecia desde que me entendo por gente. Na nossa terceira noite juntos, ele e eu ficamos completamente bêbados. Não me lembro daquela noite de jeito nenhum, mas, do que eu consigo recordar, ficamos no quarto do hotel, acordados até tarde assistindo filmes — *O sorriso de Mona Lisa* e *O massacre da serra elétrica* — e tivemos a brilhante ideia de ir até a Little White Chapel às três horas da manhã. Quando chegamos lá, outro casal estava se casando, então tivemos de esperar. Sim, ficamos esperando na fila para nos casar.

As pessoas me perguntaram se eu o amava. Vou ser bem clara: ele e eu não estávamos apaixonados. Eu estava, sinceramente, muito bêbada — e é bem provável, levando em consideração as circunstâncias da minha vida naquela época, também muito entediada.

No dia seguinte, minha família inteira viajou para Vegas. Eles chegaram e me encararam furiosamente. Eu olhei ao redor. "O que aconteceu ontem à noite?", perguntei. "Eu matei alguém?"

"Você se *casou*!", eles responderam, como se fosse algo muito pior.

"Nós estávamos nos divertindo!", falei.

Mas minha mãe e meu pai levaram isso muito a sério.

"Precisamos anular esse casamento", meus pais afirmaram. Eles deram importância demais a uma brincadeira inocente. Todo mundo tinha uma perspectiva diferente da situação, mas eu não levei aquilo a sério. Achei que um casamento bobo em Vegas era algo que as pessoas faziam de brincadeira. Então minha família viajou até lá e agiu como se eu tivesse começado a Terceira Guerra Mundial. Só chorei no restante do tempo que passei em Vegas.

"Sou culpada!", falei. "Sinto muito. Eu não deveria ter me casado."

Nós assinamos todos os documentos que eles nos disseram para assinar. O casamento durou 55 horas. Achei estranho eles terem se envolvido tão rapidamente e com tanta determinação — sem que eu tivesse tempo de ao menos me arrepender do que havia feito.

Eu não queria começar uma família com aquele cara ou ficar com ele para sempre; não era nada disso. E, no entanto, o que aconteceu foi que meus pais me interrogaram tanto a respeito disso que uma parte de mim quase disse: "Ei, talvez eu queira mesmo me casar!".

Todo jovem sabe como é querer se rebelar contra sua família, especialmente quando os pais são controladores. Agora entendo que estava tendo uma reação muito humana. Eles me pressionaram de modo curioso em relação a uma coisa que eu julgava inofensiva — e, de qualquer modo, isso era problema meu.

Na verdade, a minha família foi tão contra o casamento que comecei a pensar que talvez eu tivesse acidentalmente feito algo brilhante. Porque percebi: eu estar sob o controle deles e não ter uma conexão forte com outra pessoa havia se tornado uma coisa muito, muito importante para eles.

O que foi que eu fiz para vocês?, pensei. *Por que alguém na minha vida seria uma ameaça tão grande?* Talvez valha a pena mencionar que, àquela altura, eu estava ajudando meus pais financeiramente.

Todo mundo me perguntava: "O que você vai fazer daqui pra frente?". E era uma boa pergunta. Eu tinha a resposta. Respondi aos entrevistadores repetidas vezes que o que mais desejava era ter um tempo para mim mesma. Comecei a sonhar em encontrar um amor verdadeiro e ficar bem. Eu sentia que estava desperdiçando a minha vida.

18

Fomos para a estrada mais uma vez. Mais ônibus. Mais cabideiros repletos de figurinos. Mais longos ensaios. Mais passos e repetições.

Aquela já era uma das fases mais sombrias da minha vida, e a vibe daquela turnê também era sombria — muito suor, cenografia e iluminação sombrias. A turnê também marcou uma mudança no relacionamento com meu irmão, Bryan.

Agora trabalhando na minha equipe, Bryan era muito bem pago — assim como eu — pela Onyx Hotel Tour. Ele também fechou um grande contrato para mim com a Elizabeth Arden. Mas ainda assim foi difícil para mim não ficar um pouco ressentida enquanto eu estava fazendo uma turnê inacreditavelmente cansativa, e Bryan estava em Los Angeles e em Nova York curtindo a vida.

Perdi o contato com meu irmão naqueles anos. Então, de muitas maneiras, senti que havia perdido Justin e Bryan ao mesmo tempo.

A turnê parecia tão deprimente. Em Moline, Illinois, eu machuquei feio o joelho perto do fim do show. Já tinha sofrido uma lesão enquanto ensaiava para o clipe de "Sometimes", música do meu primeiro álbum. Em Moline foi muito mais grave: eu chorei histericamente. Com essa lesão, só precisei remarcar duas datas, mas, na minha mente, eu já tinha começado a encerrá-la. Eu estava ansiando por um pouco de leveza e alegria na minha vida.

Então Kevin Federline estava me abraçando. É disso que eu me lembro bem. Nós nos conhecemos em um lugar chamado Joseph's Café, em Hollywood, aonde eu costumava ir e me sentar numa mesa nos fundos. Imediatamente, desde o momento em que o vi, houve uma conexão entre nós — algo que fez com que eu sentisse que poderia escapar de tudo que era difícil na minha vida. Naquela noite em que nos encontramos pela primeira vez, ele me abraçou — e quero dizer *me agarrou* — em uma piscina por horas.

Era assim que ele era para mim: firme, forte, um conforto. Lembro que íamos nadar, e ele apenas me abraçava na água e não me soltava até quando eu quisesse, não importava quanto tempo levasse. Era muito mais que algo sexual. Não era sobre desejo. Era *intimidade*. Ele me abraçava pelo tempo que eu quisesse ser abraçada. Alguém já tinha feito isso por mim antes? Se aconteceu, não conseguia me lembrar quando. E havia algo melhor que isso?

Depois do que tinha passado com J, fazia muito tempo que não ficava com alguém de verdade. Enquanto isso, a imprensa continuava sugerindo homens famosos com quem eu deveria sair — realeza, CEOS, modelos. Como eu poderia explicar que só queria ser abraçada durante uma hora por um homem dentro de uma piscina?

Eu sinto que muitas mulheres — e isso definitivamente é verdade em relação a mim — podem ser tão fortes quanto desejarem, podem desempenhar esse papel poderoso e, no fim do dia, depois de termos feito nosso trabalho, ganhado nosso dinheiro e cuidado de todos, queremos alguém que nos abrace forte e diga que vai ficar tudo bem. Desculpe. Sei que soa retrógrado. Mas acho que é um impulso humano. Queremos nos sentir seguras. Queremos nos sentir seguras, vivas e sexies ao mesmo tempo. E foi isso que o Kevin fez por mim. Então eu me agarrei a ele como se não houvesse amanhã.

No começo, meu relacionamento com Kevin era divertido.
Kevin gostou de mim do jeito que eu era. Sendo uma mulher que havia passado tanto tempo tentando corresponder às expectativas da sociedade, estar com um homem que permitia que eu fosse exatamente quem eu era pareceu um presente.

Kevin tinha uma imagem de "bad boy". Mesmo assim, eu não sabia, quando nos conhecemos, que ele tinha um filho nem que sua ex-namorada estava grávida de oito meses de seu segundo filho. Eu não fazia ideia. Vivia numa bolha e não tinha muitos amigos bons e próximos em quem confiar e para os quais pudesse pedir conselhos. Eu não fazia ideia até que, depois que já fazia um tempo que estávamos juntos, alguém me disse: "Você sabe que ele acabou de ter outro filho, né?".

Não acreditei nisso, mas, quando o questionei, ele me falou que era verdade. Me disse que os via uma vez por mês.

"Você tem *filhos*?", perguntei. "Você tem *filhos*? Não *um filho*, você tem *dois filhos*?"

Eu obviamente tinha sido humilhada por causa de um número. Eu não fazia ideia.

Na primavera de 2004, eu precisei voltar para cumprir as datas contratuais, mesmo que não estivesse a fim de fazer isso. Achei que seria mais suportável se Kevin pudesse ir comigo, e ele concordou em ir. A gente se divertiu muito juntos naquela turnê; ele ajudou a me manter distraída do trabalho, algo que parecia tão desafiador quanto sempre tinha sido. Depois dos shows, eu não precisava voltar para o meu quarto do hotel sozinha. Quando estávamos viajando de volta para casa, estávamos conversando, e eu o pedi em casamento. Kevin disse não e depois *ele* me pediu em casamento.

Filmamos diários da turnê juntos. O conceito original era um documentário como *Na cama com Madonna*, porém acabou resultando mais em uma coleção nossa de vídeos caseiros, em especial depois que me machuquei de novo, e, mais tarde, foi lançado como um reality show chamado *Britney and Kevin: Chaotic*.

A Onyx Hotel Tour foi simplesmente turbulenta. Para começo de conversa, era muito sexualizada. Justin havia me humilhado publicamente, então a minha réplica no palco seguiu um pouco por esse caminho também. Mas foi absolutamente horrível. Odiei isso na época. Na verdade, eu odiei toda aquela turnê estúpida — odiei tanto que rezava toda noite. Dizia: "Deus, apenas faça meu braço quebrar. Faça minha perna quebrar. Você pode fazer *alguma* coisa quebrar?". E então, no dia 8 de junho de 2004, ainda com dois meses de shows pela frente, eu caí outra vez no set enquanto gravava o clipe de "Outrageous", machucando meu joelho de novo, e precisei passar por uma cirurgia. As datas restantes da turnê foram canceladas. Eu me recordo do quanto sofri fazendo fisioterapia para o meu joelho quando era adolescente. Havia sido excruciante. Eu tinha que mover as pernas para cima e para baixo, mesmo que estivesse sentindo uma dor indescritível. Então, quando os médicos ofereceram um analgésico chamado oxicodona, aceitei. Não queria sentir aquele nível de dor novamente.

Apenas fui para o meu apartamento em Manhattan, deitei na minha cama de princesa e, se qualquer pessoa — amigos, família, pessoas relacionadas à música — quisesse falar comigo durante essa fase, eu dizia: "Me deixem em paz. Não, eu não quero fazer nada nem quero ver ninguém". E definitivamente não queria voltar para a turnê por um tempo se pudesse evitar.

Em parte isso se devia ao fato de que eu acreditava ter conquistado o direito de tomar as minhas próprias decisões na minha vida pessoal depois de uma agenda exaustiva de trabalho. Eu sentia que havia sido manipulada para voltar imediatamente ao trabalho logo após o término com Justin, porque isso era tudo que podia fazer. A Onyx Tour foi um erro. Mas, na minha cabeça, achei que eu deveria apenas fazer o que eu tinha que fazer: trabalhar.

Agora percebo que eu deveria ter parado e tirado um tempo para superar o término com Justin antes de retomar a turnê. A indústria musical é muito exigente e implacável. Com frequência, você visita uma cidade diferente todos os dias. Não há consistência. Não é possível encontrar tranquilidade quando você está na estrada. Quando fiz o especial *Britney Spears: Live and More!* no Havaí, em 2000, comecei a perceber que a TV é bem fácil. A TV é a parte luxuosa do negócio; sair em turnê não é.

Minha irmã tinha acabado de fechar um grande contrato com a Nickelodeon. Eu estava feliz por ela. Vê-la decorando as falas e fazendo testes de figurino me fez lembrar de que eu teria amado ter um trabalho que fosse mais parecido com o aconchegante mundo da televisão infantil. Eu gostava de pensar em *O Clube do Mickey* e de me lembrar de como tudo parecia simples naquela época.

Achei que Kevin me daria a estabilidade que eu tanto desejava — e a liberdade também.

Poucas pessoas ficaram felizes por Kevin e eu. Quer eu gostasse ou não, eu era uma das maiores estrelas do mundo naquela época. Ele tinha uma vida mais privada. Eu tive que proteger nosso relacionamento de todos.

Kevin e eu nos casamos naquele outono. Realizamos uma cerimônia "surpresa" em setembro, mas os advogados precisaram de mais tempo para terminar o acordo pré-nupcial, então a assinatura dos papéis só aconteceu algumas semanas depois.

A revista *People* fez as fotos do casamento. Usei um vestido tomara que caia branco, e as damas de honra, vestidos vinho. Após a cerimônia, coloquei um moletom rosa com os dizeres SRA. FEDERLINE e todo mundo vestiu agasalhos da Juicy também, porque depois fomos a uma casa noturna dançar a noite toda. Agora que eu tinha me casado e pensava em começar uma família, decidi começar a dizer "não" a coisas que não pareciam certas — como a Onyx Tour. Rompi com meus empresários. Postei uma carta para os meus fãs no meu site, na qual disse a eles que daria um tempo para curtir minha vida.

"Na verdade, eu aprendi a dizer não", escrevi, e estava falando sério. "Com esta liberdade recém-descoberta, parece que as pessoas não sabem mais como agir perto de mim... Eu sinto muito se a minha vida pareceu bagunçada nos últimos dois anos. Provavelmente foi porque estava! Eu entendo agora o que eles querem dizer quando falam sobre estrelas mirins. Ir e ir e ir é tudo o que eu conheço desde que tinha quinze anos de idade... por favor, lembrem-se de que os tempos mudam e eu também."

Senti tanta paz depois de ter anunciado minha intenção de, finalmente, controlar a minha vida.

As coisas vão mudar por aqui!, pensei, animada.

E então realmente mudaram.

19

Duas coisas sobre estar grávida: eu adorava fazer sexo e adorava comer. Essas duas coisas eram simplesmente maravilhosas durante as minhas duas gravidezes.

Fora isso, não posso dizer que havia muita coisa que me desse prazer. Fui tão *malvada*. Você não ia querer saber de mim naqueles dois anos. Eu não queria ficar perto de praticamente ninguém. Estava com raiva. Não queria que ninguém, nem mesmo a minha mãe, ficasse perto de mim. Eu era uma verdadeira leoa. A queridinha da América e a mulher mais cruel do mundo.

Eu também protegia Jamie Lynn. Depois de ela ter reclamado comigo sobre uma colega de elenco em seu programa de TV, apareci no set para dar uma palavrinha com a tal atriz. Imagino como devo ter parecido com a enorme barriga de grávida, gritando com uma adolescente (que, mais tarde eu descobriria, era inocente): "Você está espalhando boatos sobre a minha irmã?". (Para aquela jovem atriz: me desculpe.)

Quando eu estava grávida, quis que todos se afastassem: *Para trás! Tem um bebê aqui!*

É verdade o que dizem — quando você tem um filho, ninguém pode te preparar para isso. É um milagre. Você está gerando outro *corpo*. Você cresceu dizendo: "Aquela pessoa está grávida". "Aquela pessoa têm um bebê." Mas, quando é você quem passa pela experiência, é impressionante. Foi uma experiência espiritual tão intensa — um vínculo incrivelmente poderoso.

Minha mãe sempre falava sobre quão doloroso é o parto. Nunca me deixou esquecer de que tinha passado muitas horas em agonia durante o trabalho de parto. Eu sei, cada pessoa é diferente. Para algumas mulheres é mais fácil. Fiquei aterrorizada com a ideia de ter um parto normal. Quando o médico me ofereceu fazer cesariana, fiquei tão aliviada.

Sean Preston nasceu em 14 de setembro de 2005. Imediatamente dava para saber que ele era um menininho doce e gentil.

Então, três meses depois, engravidei de novo. Fiquei entusiasmada porque teria dois filhos com pouca diferença de idade. Mesmo assim, não foi fácil para o meu corpo, e senti muita tristeza e solidão naquele período. Eu sentia como se grande parte do mundo estivesse contra mim.

O principal perigo eram os paparazzi: eu tinha que ter cuidado com sua agressividade.

Se eu ficasse distante do olhar do público, certamente, em algum momento, pensei, os fotógrafos me deixariam em paz. Mas não importava se eu estivesse em casa ou apenas tentando ir a uma loja, eles me encontravam. Todos os dias, e durante todas as noites, eles estavam lá, me esperando sair.

O que ninguém da imprensa parecia entender era que eu já estava sendo dura o bastante comigo mesma. Eu podia ser um pouco impetuosa, mas, no fundo, sempre fui alguém que queria agradar as pessoas. Mesmo nos momentos mais difíceis, eu me importava com o que os outros pensavam. Cresci no Sul, onde boas maneiras são muito importantes. Até hoje, independentemente da idade da pessoa, chamo os homens de "senhor" e as mulheres de "senhora". Apenas no que diz respeito à civilidade, era extremamente doloroso ser tratada com tanta indiferença — com tanta aversão.

Tudo o que eu fazia com os meus bebês era registrado. Quando dirigi para fugir dos paparazzi com Sean Preston no meu colo, isso foi considerado uma prova de que eu era incapaz. Eu estava com ele quando fui encurralada pelos paparazzi no Malibu Country Mart também — eles continuaram me fotografando enquanto, presa, eu o abraçava e chorava.

Quando eu estava tentando sair de um prédio e entrar em um carro em Nova York, grávida de Jayden James e com Sean Preston no colo, fui cercada por fotógrafos. Me disseram para entrar no carro pelo outro lado, então falei "Ah" e fiz o trajeto com milhares de cliques de câmeras e gritos de "Britney! Britney!" até conseguir entrar no veículo.

Se você assistir ao vídeo e não vir apenas as fotografias, perceberá que, enquanto eu tinha um copo de água em uma mão e o meu bebê no outro braço, meu salto virou e eu quase caí — mas não caí. E, entre o salto virar e eu evitar a queda, não derrubei nem a água nem o meu bebê — que, por sinal, estava completamente tranquilo.

"É por isso que preciso de uma arma", eu disse para a câmera, o que provavelmente não foi muito bem recebido. Mas eu estava no meu limite. As revistas pareciam amar uma foto que pudessem usar com a manchete: "Britney Spears ficou ENORME! Olhem, ela não está usando maquiagem!". Como se essas duas coisas fossem algum tipo de pecado — como se ganhar peso fosse algo cruel que eu tivesse feito para eles de propósito, uma traição. Em que momento eu prometi que teria dezessete anos para sempre?

20

Quando Sean Preston era bem pequeno, Kevin começou a se dedicar ainda mais à sua própria carreira musical. Ele queria construir a própria reputação, algo que encorajei. Kevin estava gravando muito, era a paixão dele. Às vezes, eu dava uma passada no estúdio onde ele estava trabalhando e o lugar parecia uma boate. Dava para sentir o cheiro da maconha saindo pela porta do estúdio antes mesmo de eu entrar. Ele e os outros caras ficavam chapados, e parecia que eu estava atrapalhando. Eu não tinha sido convidada para a festa deles.

Nunca suportei a fumaça de maconha. Só o cheiro já me deixava nauseada. E eu tinha um bebê e estava grávida, então não podia ficar saindo por aí o dia todo. Então, na maior parte do tempo, eu ficava em casa. E isso não era nenhum grande sacrifício. Eu tinha uma casa linda — uma casa dos sonhos. Nós contratávamos um chef incrível — um muito caro para contratar sempre. Mas, uma vez, enquanto comia algo que o chef tinha preparado, eu disse: "Meu Deus, isso é a coisa mais deliciosa que já comi, você não pode vir morar com a gente? Eu te amo tanto!". E eu estava falando sério — eu o *amava*. Eu ficava muito grata por qualquer ajuda extra em casa.

Talvez os casais casados vivam desse jeito, foi o que pensei enquanto Kevin e eu fomos ficando cada vez mais distantes. *Cada um tem a sua vez de ser um pouquinho egoísta. Esta é a primeira vez que ele tem um gostinho da fama. Devo deixar que ele aproveite.*

Eu ficava me motivando: *Ele é meu marido. Eu devo respeitá-lo, aceitá-lo de uma maneira diferente, mais completa, do que aceitaria alguém com quem eu estivesse só namorando. Ele é o pai dos meus filhos. Ele se está comportando de um jeito diferente agora, mas, se ele mudou, pode voltar a ser como era. As pessoas dizem que ele vai terminar comigo enquanto meus filhos são pequenos, do mesmo jeito que fez com a mãe dos seus dois primeiros filhos quando ainda eram bebês, mas ele nunca faria isso! Ele não vai se comportar comigo da mesma forma que se comportou com a outra família.*

Enquanto fiquei tentando elaborar todas essas desculpas na minha cabeça, eu mentia para mim mesma — durante esse tempo todo eu me recusava a acreditar que ele ia me deixar.

Fui até Nova York para vê-lo. Ele ficou tão distante que achei que precisávamos de um tempo juntos como família. Quando cheguei, me hospedei em um hotel legal, empolgada para ver meu marido.

Mas ele não foi me ver. Parecia fingir que eu não existia.

O empresário dele, que tinha feito parte da minha equipe por anos, também não quis me ver. Ele estava trabalhando com Kevin agora, e me pareceu que não tinha mais ligação nenhuma comigo.

"Caramba, sério?", falei.

Eu só conseguia pensar em chegar perto do Kevin o suficiente para poder perguntar a ele o que estava acontecendo. Eu queria dizer: "Quando você saiu para vir para cá, nós nos abraçamos. Você me beijou. O que está acontecendo? O que houve?".

Suspeitei que alguma coisa estava rolando, que ele estava mudando, principalmente depois que começou a receber atenção da imprensa e a se sentir mais dono de si. Uma vez, Kevin voltou para casa tarde e me disse que tinha ido a uma festa: "O Justin Timberlake estava lá!", contou. "A Lindsay Lohan também!"

Você acha que eu ligo para a sua festa estúpida?, pensei. *Você tem ideia de a quantas festas como essa eu já fui? Eu conheço algumas dessas pessoas há muito mais tempo que conheço você. Você sabe por quanta coisa eu passei durante os meus anos com Justin? Não — você não sabe de nada.* Não falei nada, mas queria ter dito isso e muito mais.

Kevin estava tão enfeitiçado pela fama e pelo poder. Repetidas vezes na minha vida eu vi a fama e o dinheiro arruinarem as pessoas, e eu vi isso acontecer com Kevin em câmera lenta. Pela minha experiência, quando a maioria das pessoas — principalmente homens — recebem esse tipo de atenção, já era. Elas amam demais isso. E não é bom para elas.

Algumas celebridades lidam bem com a fama. Elas têm perspectiva. Elas se divertem sendo admiradas, mas não se divertem demais. Sabem de quem ouvir opiniões e de quem devem ignorar. Receber prêmios e troféus é legal, e, no começo — aqueles dois primeiros anos quando você se torna uma celebridade —, bem, é uma sensação que não dá para explicar. Acho que algumas pessoas são ótimas sendo famosas.

Eu não sou. Nos meus primeiros dois ou três anos eu era boa nisso, e estava tudo bem, mas o meu verdadeiro eu? Na escola, eu era jogadora de basquete. Não fui líder de torcida, não queria chamar muita atenção. Eu jogava bola. Era isso que eu adorava fazer.

Mas a fama? Esse mundo não é real, meus amigos. Não. É. Real. Você continua nele porque, claro, ele vai pagar as contas da família e tudo mais. Só que, para mim, faltava uma essência de vida real. Acho que foi por isso que tive os meus filhos.

Então ganhar prêmios e todas essas coisas de fama? Eu gostava demais. Mas, para mim, não há nada duradouro nisso. O que eu amo é ver o suor no chão durante os ensaios, ou apenas jogar bola e fazer uma cesta. Eu gosto do trabalho. Gosto de praticar. Isso tem mais autenticidade e valor que qualquer outra coisa.

Eu na verdade invejo as pessoas que sabem usar a fama a seu favor, porque eu me escondo dela. Fico muito tímida. Por exemplo, a Jennifer Lopez, desde o começo, me pareceu alguém que sabe se sair bem sendo famosa — satisfazendo o interesse que as pessoas tinham nela, porém colocando limites nisso. Ela sempre se comportou bem. Sempre se portou com dignidade.

Kevin não sabia como fazer nada disso. Eu confesso, também não sou boa nisso. Sou uma pessoa nervosa. À medida que envelheço, tenho fugido da maior parte dos holofotes, talvez porque eu tenha me machucado muito.

Naquela difícil viagem para Nova York, eu deveria ter percebido que o meu casamento havia acabado, no entanto, eu ainda pensava que poderia ser salvo. Mais tarde, Kevin foi para outro estúdio, em Las Vegas. E lá fui eu atrás dele, esperando poder falar com ele.

Quando o encontrei, Kevin havia raspado a cabeça. Estava se preparando para fazer a foto da capa do álbum. Ficou o tempo todo no estúdio. Realmente achava que era um rapper agora. Abençoado seja, porque ele levou tudo muito a sério.

Então apareci em Las Vegas com Sean Preston no colo e grávida de Jayden James, solidária à situação do Kevin. Ele estava tentando construir algo para si mesmo, e todo mundo parecia duvidar dele. Eu sabia como era isso. É assustador você se arriscar assim. Você realmente precisa acreditar em si mesmo quando o mundo faz com que você se questione se é capaz. Mas eu também sentia que o Kevin deveria aparecer mais em casa e passar mais tempo comigo. Nossa pequena família era tudo para mim. Carreguei os filhos dele por muito tempo e havia feito muitos sacrifícios. Eu tinha praticamente abandonado a minha carreira. Eu havia feito tudo para tornar a nossa vida possível.

Deixei Sean Preston no hotel com uma babá e apareci no set de gravação do clip. Outra vez, me disseram que ele não queria me ver. Posteriormente, ele falou que isso não era verdade, que nunca teria feito isso. Tudo o que sei é o que vivenciei: seguranças que trabalharam na minha casa estavam na porta e não me deixaram entrar. Parecia que todo mundo naquele set me evitava.

Espiei por uma janela e vi um monte de gente festejando. O set havia sido transformado em uma boate. Kevin e os outros atores fumavam maconha e pareciam felizes.

Fiquei fora de mim. Observei aquela cena por um tempo sem que ninguém lá dentro me visse. Então falei para o segurança: "O.k., ótimo", me virei e voltei para o hotel.

Eu estava no hotel, arrasada, quando ouvi uma batida na porta.

Atendi, e era um dos amigos mais antigos do meu irmão — Jason Trawick. Ele ficou sabendo do que tinha acontecido.

"Como você está?", Jason perguntou. Ele pareceu genuinamente preocupado com o modo como respondi.

Quando foi a última vez que alguém me perguntou isso?, pensei.

21

Perto do primeiro aniversário do Sean Preston, em 12 de setembro de 2006, Jayden James nasceu. Desde seu nascimento ele foi uma criança muito feliz.

Depois de ter tido meus dois meninos, eu me senti tão *leve* — tão leve que era quase como se eu fosse um pássaro ou uma pluma, como se pudesse flutuar.

Eu achava meu corpo incrível. *É assim que a gente se sente com treze anos de novo?*, pensei. Eu não tinha mais barriga.

Uma das minhas amigas foi me visitar e falou: "Nossa, você está tão magra!".

"Bem, fiquei dois anos grávida", respondi.

Depois que tive os bebês, me senti uma pessoa completamente diferente. Era confuso.

Por um lado, de repente, eu entrava nas minhas roupas de novo. Quando eu as experimentava, ficavam ótimas! Amar roupas novamente era uma surpresa. Pensei: *Puta merda! Meu corpo!*

Por outro lado, eu havia ficado tão feliz ao sentir esses bebês protegidos dentro de mim. Me senti um pouco deprimida já que não podia mais mantê-los seguros no meu corpo. Eles pareciam tão vulneráveis naquele frenesi de paparazzis e tabloides.

Eu queria tê-los de novo dentro de mim para que o mundo não pudesse alcançá-los.

"Por que a Britney fica tão tímida diante das câmeras quando está com Jayden?", dizia uma manchete.

Kevin e eu tínhamos ficado melhores em esconder as crianças depois que Jayden nasceu, tanto que as pessoas perguntavam por que nenhuma foto dele havia sido divulgada. Acho que, se alguém tivesse parado para pensar nisso por um segundo que fosse, teria chegado a algumas conclusões. Mas ninguém fazia essa pergunta. As pessoas continuavam agindo como se eu devesse isso a elas, como se eu tivesse que permitir que os homens que insistiam em tentar me flagrar gorda tirassem fotos dos meus filhos bebês.

Após cada nascimento, uma das primeiras coisas que eu fazia era olhar pela janela para contar o número de combatentes inimigos no estacionamento. Eles pareciam se multiplicar cada vez que eu verificava. Sempre havia mais carros do que parecia seguro. Ver todos aqueles homens juntos para fotografar os meus filhos me deixava apavorada. Com os royalties das fotos valendo uma boa grana, a missão deles era conseguir imagens dos meus filhos a qualquer custo.

E os meus meninos — eram tão pequenos. Minha responsabilidade era mantê-los em segurança. Eu me preocupava que as luzes dos flashes e os gritos pudessem assustá-los. Kevin e eu tivemos de elaborar estratégias para cobri-los com cobertores e garantir que estavam conseguindo respirar. Mesmo sem um cobertor sobre mim, eu mal conseguia respirar.

Eu não tinha muito interesse em conceder entrevistas naquele ano, mas aceitei uma com Matt Lauer, do programa *Dateline*. Ele disse que as pessoas estavam fazendo perguntas sobre mim, dentre as quais: "A Britney é uma péssima mãe?". Ele nunca disse quem perguntava. Todo mundo, aparentemente. E ele quis saber o que eu achava necessário acontecer para que os paparazzi me deixassem em paz. Eu queria que Matt perguntasse a eles — para que eu pudesse fazer o que eles dissessem, seja lá o que fosse.

Felizmente, a minha casa era um refúgio seguro. O nosso relacionamento estava com problemas, mas Kevin e eu tínhamos construído um incrível lar em Los Angeles, ao lado da casa do Mel Gibson. A Sandy, de *Grease*, também morava ali perto. Eu a via e a chamava: "Oi, Olivia Newton-John! Como você está, Olivia Newton-John?".

Para nós, era a casa dos sonhos. Havia um escorregador que dava direto na piscina. Também tinha um tanque de areia, cheio de brinquedos, para as crianças fazerem castelos de areia. Tínhamos uma casinha de brinquedo com degraus e uma escada e uma varandinha. E acrescentamos mais coisas.

Eu não gostava dos pisos de madeira, então coloquei mármore em todos os lugares — e, claro, tinha que ser mármore branco.

O designer de interiores foi totalmente contra. Ele falou: "Os pisos de mármore são superescorregadios e duros se você cair".

"Eu quero mármore!", gritei. "Eu *preciso* de mármore."

Era a minha casa e o meu ninho. Era linda pra cacete. Mas acho que naquela época eu já sabia que tinha me tornado estranha.

Eu tive meus dois filhos um atrás do outro. Meus hormônios estavam descontrolados. Eu estava sendo mais malvada que o diabo e bastante mandona. Ter filhos foi muito importante para mim. Na tentativa de tornar nosso lar perfeito, exagerei. Olho para trás agora e penso: *Meu Deus, aquilo foi péssimo.* Sinto muito, empreiteiros. Acho que me importei demais.

Contratei um artista para pintar murais nas paredes dos quartos dos meninos: pinturas fantásticas de menininhos na lua. Realmente dei tudo de mim.

Era meu sonho ter filhos e criá-los no ambiente mais aconchegante possível. Para mim, eles eram perfeitos, lindos, tudo que sempre desejei. Eu queria dar a eles o mundo — o sistema solar inteiro.

Comecei a suspeitar de que estava sendo um pouco superprotetora quando não deixei minha mãe pegar Jayden no colo nos dois primeiros meses. Mesmo depois disso, eu a deixava segurá-lo por cinco minutos e só. Eu tinha que tê-lo de volta nos meus braços. Isso foi demais. Sei disso agora. Eu não deveria ter sido tão controladora.

Mais uma vez, acho que o que aconteceu quando os vi a primeira vez depois de terem nascido foi semelhante ao término com Justin: a coisa do *Benjamin Button*. Fiquei mais jovem. Sinceramente, sendo uma mãe novata, foi como se uma parte minha *se tornasse um bebê*. Uma parte de mim era uma mulher adulta exigente que gritava porque queria o mármore branco, enquanto a outra, de repente, agia como uma criança.

Por um lado, as crianças têm o poder de curar. Fazem você julgar menos. Ali estão elas, tão inocentes e tão dependentes de você. Você se dá conta de que todo mundo já foi um bebê, tão frágil e indefeso. Por outro lado, para mim, ter filhos foi, psicologicamente, muito complicado. Isso também aconteceu quando Jamie Lynn nasceu. Eu a amava tanto e era tão empática, que, de um modo estranho, me tornei ela. Quando ela tinha três anos, alguma parte de mim também tinha três anos.

Ouvi dizer que isso às vezes acontece com os pais — especialmente se você tem algum trauma da infância. Quando seus filhos chegam à mesma idade que você tinha na época em que passou por algo difícil, você revive isso emocionalmente.

Infelizmente, naquela época, não se falava a respeito de saúde mental como hoje em dia. Espero que qualquer mãe que esteja lendo este livro e esteja passando por dificuldades procure ajuda o mais rápido possível e canalize seus sentimentos para algo mais terapêutico que pisos de mármore branco. Porque agora sei que estava com praticamente todos os sintomas da depressão pós-parto: tristeza, ansiedade, cansaço. Depois que os bebês nasceram, eu acrescentei a essa lista a minha confusão e a minha obsessão pela segurança deles, que aumentavam ainda mais à medida que a atenção da mídia se voltava para nós. Ser uma mãe novata já é desafiador o bastante sem precisar de ninguém te analisando sob um microscópio o tempo todo.

Com Kevin ausente por tanto tempo, não havia ninguém por perto para me ver desmoronar — exceto todos os paparazzi dos Estados Unidos.

22

Aqueles primeiros meses depois que Jayden chegou em casa foram um borrão. Adotei um cachorro. Felicia apareceu e desapareceu da minha vida.

Quando estava grávida do Jayden, pintei meu cabelo de preto. Ao tentar ficar loira de novo, meu cabelo ficou roxo. Precisei ir a um salão de beleza para descolorirem meu cabelo todo para chegar a um tom natural de castanho. Levou uma eternidade até acertarem o tom. Praticamente tudo na minha vida era assim. Para dizer o mínimo, havia um pouco de caos: o término com J e a difícil Onyx Tour, casar com uma pessoa que ninguém parecia julgar ser um bom parceiro e depois tentar ser uma boa mãe em um casamento que estava ruindo em tempo real.

E, ainda assim, sempre me senti muito feliz e criativa no estúdio. Enquanto gravava *Blackout*, senti tanta liberdade. Trabalhando com produtores incríveis, eu tinha que fazer a minha parte. Um produtor chamado Nate Hills, cujo nome artístico é Danja, gostava mais de dance e de música eletrônica do que de pop; ele me apresentou a novos sons e eu pude usar a minha voz de maneiras diferentes.

Adorei que ninguém estivesse pensando demais nas coisas e eu pudesse dizer do que gostava ou não. Eu sabia exatamente o que queria e gostei demais do que me foi oferecido. Entrar estúdio e escutar aqueles sons incríveis e colocar minha voz neles foi divertido. Apesar da minha reputação na época, eu estava focada e animada para trabalhar quando entrei para gravar. O que acontecia do lado de fora do estúdio era tão perturbador.

Os paparazzi, como um exército de zumbis, tentavam invadir a cada segundo. Eles tentavam escalar as paredes e tirar fotos através das janelas. Tentar entrar e sair de um prédio parecia parte de uma operação militar. Era aterrorizante.

Minha representante, Teresa LaBarbera Whites, que também era mãe, fez o que pôde para ajudar. Ela colocou uma cadeirinha de descanso em um dos nossos estúdios, o que achei um gesto muito gentil.

O álbum foi uma espécie de grito de guerra. Depois de anos sendo meticulosa, tentando agradar a minha mãe e o meu pai, tinha chegado a minha vez de dizer *Foda-se*. Parei de fazer negócios como sempre havia feito. Comecei eu mesma a gravar vídeos na rua. Eu ia a bares com uma amiga, e ela levava uma câmera, e foi assim que gravamos "Gimme More".

Para ser clara, não estou dizendo que tenho orgulho disso. "Gimme More" é, de longe, o pior videoclipe que gravei na minha vida. Não gosto dele nem um pouco — é tão cafona. Parece que gastamos apenas uns três mil dólares para gravá-lo. E ainda que seja muito ruim, atingiu seu propósito. E quanto mais eu comecei a fazer as coisas por conta própria, mais gente interessante começou a me notar e a querer trabalhar comigo. Acabei, ao acaso, encontrando pessoas realmente boas só no boca a boca.

Blackout foi um dos álbuns mais fáceis e mais gratificantes que já gravei. Tudo aconteceu depressa. Eu ia para o estúdio, ficava lá durante trinta minutos e ia embora. Não era planejado — tinha que ser rápido. Se eu ficasse muito tempo em um lugar, os paparazzi se multiplicavam do lado de fora como se eu fosse um Pac-Man encurralado sendo perseguido por fantasmas. O meu mecanismo de sobrevivência era entrar e sair dos estúdios o mais rápido possível.

Quando gravei "Hot as Ice", entrei no estúdio e havia seis caras gigantes na sala comigo, sentados. Esse foi provavelmente um dos momentos de gravação mais espirituais da minha vida, estar com todos aqueles caras em silêncio me ouvindo cantar. Minha voz alcançou notas que eu nunca tinha conseguido. Cantei duas vezes e fui embora. Nem precisei me esforçar.

Se gravar *Blackout* tinha sido bom, a vida ainda estava sendo dura comigo de todas as maneiras. De um minuto para o outro, tudo ficou tão extremo. Eu deveria ter me valorizado e me amado mais do que fui capaz de conjurar na época. E, ainda assim, embora tenha sido uma fase muito difícil em quase todas as áreas da minha vida, artisticamente foi ótima. Algo a respeito do meu estado de espírito me fez evoluir como artista. Gravar o álbum *Blackout* me fez sentir uma adrenalina empolgante. Pude trabalhar nos melhores estúdios. Foi uma época louca.

Infelizmente, quando a vida familiar vai mal, isso parece influenciar todo o restante e fazer com que qualquer coisa boa não pareça tão boa assim. Lamento o quanto as coisas ficaram desagradáveis para mim com a minha família, mas ainda me orgulho bastante daquele álbum. Muitos artistas afirmaram que *Blackout* os influenciou, e com frequência ouço fãs dizerem que é o álbum favorito deles.

 Enquanto isso, Kevin dava muitas entrevistas, e você poderia pensar que ele tinha acabado de fazer um grand slam na World Series, o campeonato anual da Major League Baseball. Eu já não sabia mais quem ele era. Então, Kevin foi convidado para fazer um comercial do Super Bowl que passaria em rede nacional. Não importava que o comercial era ele tirando sarro de si mesmo — Kevin interpretava um cara que trabalhava em um fast-food e sonhava em ser uma estrela. Depois que recebeu aquela proposta, basicamente nunca mais vi Kevin. Era como se ele fosse bom demais para sequer falar comigo. Ele dizia a todos que ser pai era tudo para ele — a melhor coisa em sua vida. Não tem como saber disso. Porque a triste verdade era que ele mal estava presente.

23

Quando me casei com Kevin, foi por amor. Se você notar meus olhos nas fotos do meu casamento, poderá ver: eu estava muito apaixonada e pronta para começar uma nova fase da minha vida. Eu queria ter filhos com aquele homem. Queria um lar aconchegante. Queria envelhecer ao lado dele.

Meu advogado me disse que se eu não desse entrada no divórcio, Kevin daria. Isso me fez deduzir que Kevin queria pedir o divórcio, mas se sentia culpado em fazê-lo. Ele sabia que seria melhor aos olhos do público se fosse eu quem pedisse. Meu advogado falou que Kevin entraria com o pedido de qualquer forma. Fui levada a acreditar que seria melhor se agisse primeiro para não ser humilhada.

Eu não queria passar por constrangimento, então, no início de novembro de 2006, quando Jayden tinha quase dois meses de idade, dei entrada no processo. Tanto Kevin quanto eu pedimos a custódia integral dos meninos. O que não entendi foi ele depois insistir para que eu pagasse suas despesas legais. E como legalmente eu havia dado início ao processo de divórcio, eu seria responsabilizada pela imprensa por ter desfeito minha jovem família.

A mídia enlouqueceu. Isso provavelmente foi bom para o álbum do Kevin, que tinha sido lançado uma semana antes de anunciarmos o divórcio, mas fui difamada. Algumas pessoas tentaram ser solidárias — mas, na imprensa, muitas vezes elas faziam isso sendo cruéis com Kevin, o que na verdade não ajudou muito.

No fim daquele mês, participei do American Music Awards. Enquanto esperava minha vez subir ao palco, Jimmy Kimmel fez um monólogo e um esquete humorístico sobre Kevin, a quem chamou de "o-primeiro-fenômeno-do-mundo-que-nunca-fez-sucesso". Colocaram um sósia dele dentro de uma caixa de madeira, lacraram, puseram em um caminhão e a jogaram no mar.

Mas ele ainda era o pai dos meus dois filhos pequenos. Achei a violência contra ele perturbadora. Todos na plateia estavam rindo. Eu não sabia que isso iria acontecer e fui pega desprevenida. Subi ao palco e entreguei o prêmio a Mary J. Blige, mas, depois, fui aos bastidores e tentei deixar claro que fui pega de surpresa e que não havia gostado daquilo. Também não pensei que, no meio da batalha pela custódia dos meninos, o meu ex-marido ter sido tratado daquela forma traria algum benefício para mim.

Todos pareciam entusiasmados com a notícia do nosso divórcio — exceto eu. Eu não tinha o que comemorar.

★   ★   ★

Agora, quando olho para trás, acho que tanto Justin quanto Kevin foram muito espertos. Eles sabiam o que estavam fazendo, e eu caí direitinho.

Isso é o que acontece nessa indústria. Nunca soube como jogar. Não sabia como me apresentar em nenhum nível. Eu me vestia mal muito mal — que inferno, eu ainda me visto mal, e admito isso. Procuro melhorar. Eu tento. Só que por mais que admita as minhas falhas, no fim das contas, sei que sou uma boa pessoa. Agora consigo ver que você precisa ser esperta o bastante, maliciosa o bastante, calculista o bastante para jogar o jogo, e eu não o conhecia. Eu era inocente de verdade — apenas ingênua. Era uma mãe de dois meninos pequenos recém-solteira — não tinha tempo de arrumar o meu cabelo antes de sair e encarar um mar de fotógrafos.

Então eu era jovem e cometi muitos erros. Mas digo isto: não fui manipuladora. Fui simplesmente idiota.

E isto é algo que Justin e Kevin destruíram em mim. Eu costumava confiar nas pessoas. Mas após o término com Justin e depois do meu divórcio, nunca mais confiei em ninguém.

24

Uma das pessoas que mais foram gentis comigo quando realmente precisei foi Paris Hilton. Boa parte dos Estados Unidos a reduziu a uma garota festeira, mas eu a achei elegante — com sua postura no tapete vermelho e como sempre arqueava uma sobrancelha quando alguém era maldoso com ela.

Paris viu que eu tinha meus filhos e que estava sofrendo por causa do término, e acho que ficou com pena de mim. Paris foi até a minha casa e me ajudou muito. Ela era tão *meiga* comigo. Tirando aquela noite em Vegas com Jason Trawick, parecia que ninguém era gentil assim comigo há séculos. Começamos a sair juntas. Ela me encorajou a tentar me divertir pela primeira vez em muito tempo.

Com a Paris, vivi a minha fase festeira. Mas preciso esclarecer: nunca foi tão louco como a imprensa fez parecer ser. Houve uma época em que eu não saía de jeito nenhum. Finalmente, quando saí de casa por algumas horas — com as crianças sendo supervisionadas por cuidadores responsáveis —, fiquei fora até tarde e bebi como qualquer outra pessoa de vinte e poucos anos, ouvi que era a pior mãe que já existiu e também uma pessoa terrível. Os tabloides eram só acusações: *Ela é uma vagabunda! Ela está usando drogas!*

Nunca tive problemas com bebida. Eu gostava de beber, mas nunca perdia o controle. Você quer saber que droga eu escolheria? A única que eu tomei além de bebida? Adderall, a anfetamina que crianças com TDAH tomam. O Adderall me deixava alta, sim, mas o que me interessava era poder passar algumas horas me sentindo menos depressiva. Foi a única coisa que funcionou para mim como antidepressivo, e eu realmente achei que precisava de algo assim.

Nunca tive interesse em drogas pesadas. Vi muitas pessoas no mundo da música usando de tudo, mas não era para mim. No lugar onde cresci, o que mais bebíamos era cerveja; até hoje não gosto de beber vinho caro porque queima a minha garganta. E eu nunca gostei de maconha, exceto naquela vez em Nova York, quando meu salto quebrou. Só de ficar perto de alguém fumando, já fico meio alterada, me sinto lerda e idiota. Odeio isso.

Você sabe o que Paris e eu supostamente fizemos naquela noite maluca sobre a qual todo mundo fez o maior alvoroço, naquela noite em que saímos com Lindsay Lohan? Ficamos bêbadas! Foi isso!

Estávamos em uma casa de praia, e a minha mãe estava cuidando das crianças, então saí com Paris. Estávamos superanimadas, bebendo e agindo como bobas. Eu me sentia tão bem por estar com amigos e me divertindo. Não havia nada de errado nisso.

No fim da noite, voltei para a casa de praia, feliz pela minha aventura e um pouquinho bêbada ainda.

A minha mãe estava esperando. Quando entrei, ela gritou comigo e brigamos feio.

Ela disse que era porque eu estava bêbada.

Ela não se enganou. Eu realmente bebi muito. Mas eu não tinha violado nenhuma regra primordial da nossa família. E, naquela noite, ela tinha cuidado dos meus meninos para que eu pudesse sair de maneira responsável, sem que eles me vissem alterada.

A vergonha que senti destruiu o meu coração. Fiquei ali, atordoada, e pensei: *O.k. Acho que estou proibida de farrear.*

A minha mãe sempre me fazia sentir como se eu fosse má ou culpada por algo, mesmo que eu tivesse me esforçado tanto para fazer tudo certo. Isto a minha família sempre fez — me tratou como se eu fosse má. A briga foi um marco na minha relação com a minha mãe. Eu não podia voltar a como era antes. Nós tentamos, mas realmente não deu certo.

Não importa quantos fãs eu tivesse no mundo, os meus pais nunca pareceram pensar que eu valesse muito. Como você poderia tratar assim a sua filha enquanto ela passava por um divórcio, quando estava solitária e perdida?

Não oferecer apoio a uma pessoa quando ela está enfrentando um momento difícil não é bom, especialmente quando você não consegue responder à altura. Quando comecei a dizer o que pensava e retribuir um pouco do que recebia — só Deus sabe que estavam longe de ser perfeitos —, eles não gostaram muito. Mas ainda assim tinham um grande poder emocional sobre mim.

25

O que todo mundo diz a respeito de se tornar mãe foi verdade para mim. Meus meninos deram sentido à minha vida. Eu não conseguia acreditar na intensidade do amor puro e instantâneo que senti por aqueles dois seres pequenininhos.

No entanto, tornar-se mãe sob tanta pressão dentro e fora de casa também foi muito, muito mais difícil do que eu esperava.

Isolada dos meus amigos, comecei a ficar esquisita. Sei que se espera que você se concentre em apenas ser mãe nessas horas, mas para mim era difícil sentar e brincar com eles todos os dias, ser mãe em primeiro lugar. Eu me sentia tão confusa. Tudo o que eu havia conhecido ao longo de toda a minha vida estava sendo exposto em todos os níveis. Eu não sabia para onde ir ou o que fazer. Eu devia voltar para a Louisiana, comprar uma casa com um muro alto e me esconder?

O que consigo perceber agora, mas não pude naquela época, é que cada uma das partes que compõe uma vida normal foram arrancadas de mim — sair na rua sem que isso se tornasse manchete, cometer erros normais que uma mãe novata de duas crianças comete, sentir que eu podia confiar nas pessoas ao meu redor. Eu não tinha liberdade e também não me sentia segura.

Ao mesmo tempo, eu estava sofrendo, agora sei disso, de uma severa depressão pós-parto. Admito: senti que não poderia mais viver se as coisas não melhorassem.

Todas as outras pessoas estavam cuidando da própria vida, mas eu estava sendo observada sob todos os ângulos. Justin e Kevin puderam transar muito e fumar toda a maconha que havia no mundo, e ninguém disse nada a eles. Eu voltei para casa depois de uma noite numa balada, e a minha própria mãe acabou comigo. Isso me deixou com medo de fazer qualquer coisa. A minha família fez eu me sentir paralisada.

Me aproximava de qualquer pessoa que estivesse disposta a intervir e a agir como uma barreira entre mim e os meus pais, em especial por pessoas que pudessem me levar para festas e me distrair temporariamente de toda a vigilância a que eu estava submetida. Nem todas essas pessoas foram legais por muito tempo, mas, naquele momento, eu estava desesperada por qualquer um que parecesse querer me ajudar de alguma forma e que também parecesse ter a capacidade de manter meus pais longe de mim.

Como parte de seus esforços para obter a guarda unilateral, Kevin tentou convencer todos de que eu estava completamente descontrolada. Começou a dizer que eu não deveria ficar mais com os meus filhos — de jeito nenhum.

Quando ele falou isso, eu me lembro de ter pensado: *Isso com certeza é uma piada. Isso é só para os tabloides.* Quando você lê sobre casais de celebridades brigando, nunca dá para saber o que é verdade. Sempre presumo que muito do que se ouve são histórias que chegam aos jornais como parte de alguma estratégia para se obter vantagem numa batalha pela guarda das crianças. Então fiquei esperando que ele trouxesse os meninos de volta para mim depois de tê-los levado. Além de não os ter trazido de volta para mim, ele também não permitiu que eu os *visse* por semanas a fio.

Em janeiro de 2007, minha tia Sandra morreu depois de uma longa e cruel batalha contra um câncer no ovário. Ela era como uma segunda mãe para mim. No funeral, perto do túmulo da minha tia Sandra, eu chorei como nunca havia chorado na vida.

Trabalhar parecia impensável para mim. Um famoso diretor me ligou durante aquele período para falar sobre um projeto no qual ele estava trabalhando: "Eu tenho um papel para você. É um papel bem sombrio".

Recusei porque pensei que não seria emocionalmente saudável para mim. Mas eu me pergunto se apenas o fato de saber sobre o papel, de maneira subconsciente, levou minha mente àquele universo — imaginei como seria ser aquela personagem.

Por dentro, durante bastante tempo, eu senti como se houvesse uma nuvem de escuridão. Por fora, no entanto, eu tentava continuar parecendo o que as pessoas queriam que eu fosse, continuava agindo da forma que elas desejavam — meiga e bela o tempo todo. Mas o verniz social já estava tão desgastado àquela altura que não restava mais nada. Eu estava ferida demais.

★ ★ ★

Em fevereiro, depois de ter passado semanas e semanas sem conseguir ver os meninos, eu estava completamente dominada pela tristeza e fui implorar para vê-los. Kevin não me deixou entrar. Supliquei a ele. Jayden James tinha cinco meses e Sean Preston tinha um ano e cinco meses. Eu imaginava que eles não soubessem onde a mãe estava e se perguntavam por que ela não queria estar com eles. Eu queria derrubar aquela porta para pegá-los. Eu não sabia o que fazer.

Os paparazzi testemunharam tudo. Não consigo descrever a humilhação que senti. Eu estava encurralada. Estava na rua sendo perseguida, como sempre, por esses homens que esperavam que eu fizesse algo que pudessem fotografar.

E, então, naquela noite, dei algo a eles.

Entrei em um salão de beleza, peguei a máquina e raspei todo o meu cabelo.

Todo mundo achou hilário. *Vejam como ela está louca!* Até os meus pais ficaram com vergonha de mim. Mas ninguém parecia entender que eu estava sem chão por causa da tristeza que sentia. Meus filhos haviam sido tirados de mim.

Com a cabeça raspada, todo mundo ficou com medo de mim, até a minha mãe. Ninguém mais falava comigo porque eu tinha ficado muito feia.

Meu cabelo longo era uma das coisas que as pessoas mais gostavam em mim — eu sabia disso. Sabia que muitos caras achavam cabelo longo sexy.

Raspar a cabeça foi uma maneira de dizer para o mundo: *Foda-se. Vocês querem que eu seja linda para vocês? Foda-se. Vocês querem que eu seja legal com vocês? Foda-se. Vocês querem que eu seja a garota dos seus sonhos? Foda-se.* Durante anos eu tinha sido uma menina boazinha. Eu sorria educadamente enquanto os apresentadores dos programas de TV olhavam maliciosamente para os meus peitos, enquanto os pais americanos diziam que eu estava arruinando os filhos deles ao vestir um cropped, enquanto os executivos davam tapinhas de modo condescendente na minha mão e questionavam as decisões que eu tomava quanto à minha carreira, embora eu já tivesse vendido milhões de discos, enquanto a minha família agia como se eu fosse do mal. E tinha me cansado disso.

No fim dia, não me importei. Tudo o que eu queria era ver os meus meninos. Fiquei mal ao pensar nas horas, nos dias, nas semanas que eu tinha perdido com eles. Os momentos mais especiais da minha vida eu vivi tirando cochilos com os meus filhos. Foi quando me senti mais próxima de Deus — tirando cochilos com meus bebês preciosos, cheirando seus cabelos, segurando as mãos pequeninas.

Fiquei extremamente furiosa. Acredito que muitas outras mulheres entendem isso. Uma amiga minha disse uma vez: "Se alguém tirasse meu bebê de mim, eu teria feito muito mais que cortar o cabelo. Eu teria reduzido a cidade a cinzas".

26

Enquanto eu sofria naquelas semanas sem meus filhos, perdi, simplesmente perdi o controle repetidas vezes. Eu não sabia nem mesmo como cuidar de mim mesma. Por causa do divórcio, tive que sair de uma casa que eu adorava e fui viver em uma casa aleatória em estilo *cottage* inglês em Beverly Hills. Os paparazzi ficavam rondando a casa eufóricos agora, como tubarões quando há sangue na água.

Quando raspei a cabeça pela primeira vez, pareceu quase uma experiência religiosa. Eu estava vivendo no nível de *ser* puramente.

E caso eu quisesse sair para encarar o mundo, comprei sete perucas diferentes, todas de cabelo curto estilo short bob. Se eu não pudesse ver meus os filhos, eu não queria ver ninguém.

Alguns dias depois de eu ter raspado a minha cabeça, minha prima Alli me levou de carro até a casa do Kevin. Pensei que pelo menos dessa vez não haveria paparazzis. Mas, ao que parece, alguém avisou um dos fotógrafos e ele chamou mais alguém.

Quando paramos em um posto de gasolina, os dois homens foram até mim. Continuaram tirando fotos com uma câmera gigante e o flash ligado e me filmando através da janela enquanto eu, extremamente triste, sentada no banco do passageiro, esperava Alli retornar. Um deles não parava de perguntar: "Como você está? Você está bem? Estou preocupado com você".

Fomos até a casa do Kevin. Os dois paparazzi continuaram nos seguindo, tirando fotos enquanto eu fui, mais uma vez, impedida de entrar na casa do Kevin. Eu me afastei, pois queria ver meus filhos.

Depois que fomos embora, Alli parou para que pudéssemos decidir o que fazer em seguida. O cara que filmava estava, de novo, do lado da minha janela.

"O que eu vou fazer, Britney, — tudo que eu vou fazer — é perguntar algumas coisas pra você", um deles disse com aquela expressão maldosa no rosto. Ele não estava pedindo permissão. Ele estava me dizendo o que ia fazer comigo. "E então eu vou deixar você em paz."

Alli começou a implorar para os homens irem embora. "Por favor, pessoal. Não, pessoal. Por favor, por favor…"

Ela estava sendo tão educada e implorando para eles como estivesse pedindo que poupassem a nossa vida, o que, afinal, era o que parecia que Alli estava fazendo.

Mas eles não iam parar. Gritei.

Eles gostaram disso — da minha reação. Um dos caras não iria embora enquanto não conseguisse o que queria. Ele continuou sorrindo sarcasticamente, continuou me fazendo as mesmas perguntas terríveis, sem parar, tentando fazer com que eu reagisse de novo. Sua voz era horrorosa — lhe faltava humanidade.

Esse foi um dos piores momentos da minha vida inteira, e o fotógrafo continuou atrás de mim. Ele não podia me tratar como um ser humano? Não podia se afastar? Mas ele não fez nada disso. Simplesmente continuou. Continuou perguntando, repetidamente, como eu me sentia por não poder ver os meus filhos. Ele estava sorrindo.

Então, perdi a paciência.

Peguei a única coisa que estava ao meu alcance, um guarda--chuva verde, e saí do carro. Eu não ia bater nele, porque, mesmo nos meus piores momentos, não sou esse tipo de pessoa. Acertei a coisa mais próxima dele — que, no caso, era seu carro.

Patético, realmente. Um guarda-chuva. Não dá nem para causar qualquer dano com um guarda-chuva. Foi uma atitude desesperada de uma pessoa desesperada.

Fiquei tão envergonhada pelo que tinha feito que enviei um pedido de desculpas à agência onde ele trabalhava, mencionando que eu estava na disputa por um papel sombrio em um filme, o que era verdade, e que eu não estava sendo eu mesma, o que também era verdade.

Tempos depois, aquele paparazzo diria em uma entrevista para um documentário sobre mim: "Aquela noite não foi boa para ela... mas *foi* uma boa noite para nós — porque a gente conseguiu uma foto que valeu muita grana".

★   ★   ★

Agora o meu marido, Hesam, me diz que é comum que garotas bonitas raspem a cabeça. É uma vibe, ele diz — uma escolha de não seguir as regras convencionais de beleza. Ele tenta fazer eu me sentir melhor em relação ao que aconteceu, porque se sente mal com o quanto isso ainda dói em mim.

27

Parecia que eu estava vivendo à beira de um precipício.

Algum tempo depois de raspar a cabeça, fui ao apartamento do Bryan em Los Angeles. Ele estava com duas amigas antigas do Mississippi — a minha mãe também estava lá. Ela parecia nem querer olhar para mim porque eu estava feia naquele momento. Isso apenas provou que o mundo só se preocupa com a sua aparência física, mesmo que você esteja sofrendo e vivendo um momento muito difícil.

Naquele inverno, me disseram que seria mais fácil eu recuperar a guarda dos meus filhos se eu fosse para a reabilitação. E então, embora eu sentisse que eram somente raiva e tristeza em vez de um problema com abuso de substâncias, fui. Quando cheguei, meu pai estava lá. Ele se sentou à minha frente — havia três mesas de piquenique entre nós. E disse: "Você é uma desgraça".

Eu agora me recordo disso e penso: *Por que eu não chamei o Big Rob para me ajudar?* Eu já estava sentindo tanta vergonha e constrangimento, mas lá estava o meu pai me dizendo que eu era uma desgraça. Era a definição de bater em cachorro morto. Ele estava me tratando como se eu fosse um cachorro, o mais feio de todos. Eu não tinha ninguém. Estava muito sozinha. Acho que um ponto positivo da reabilitação foi eu ter começado o processo de cura. Eu estava determinada a tirar o melhor proveito de uma situação sombria.

Quando saí, consegui a guarda compartilhada temporária dos meus filhos por meio de um ótimo advogado que me ajudou. Mas a batalha com Kevin continuava, e isso estava me consumindo.

Blackout, a coisa de que eu mais me orgulho em toda a minha carreira, foi lançado bem perto do Halloween de 2007. Eu deveria cantar "Gimme More" no VMA para ajudar a promover o álbum. Eu não queria, porém a minha equipe ficou me pressionando para eu fazer isso e mostrar ao mundo que estava bem.

O único problema com esse plano: eu não estava bem.

Nos bastidores do VMA naquela noite, nada dava certo. Houve um problema com o meu figurino e com os meus apliques. Eu não havia dormido na noite anterior. Eu estava zonza. Fazia menos de um ano que eu tive o meu segundo filho em dois anos, mas todo mundo agia como se o fato de eu não estar com o abdome definido fosse uma ofensa. Eu não podia acreditar que teria que subir no palco me sentindo daquele jeito.

Encontrei Justin nos bastidores. Já fazia um tempo que não o via. Tudo ia muito bem em seu mundo. Ele estava no auge em todos os sentidos e se achando. Eu estava tendo um ataque de pânico. Não tinha ensaiado o suficiente. Odiei a minha aparência. Sabia que ia ser ruim.

Subi no palco e fiz o melhor que pude naquele momento, e que — sim, reconheço — estava longe do meu melhor em outras ocasiões. Eu podia me ver no monitor ao longo do palco enquanto me apresentava, parecia que eu estava me vendo em um espelho distorcido.

Não vou defender aquela apresentação ou dizer que foi boa, mas digo que, como artistas, todos nós temos noites ruins. Em geral, elas não têm consequências tão extremas.

Você também não costuma ter um dos piores dias da sua vida bem no mesmo lugar e na mesma hora que o seu ex tem um dos melhores dias da vida dele.

Justin deslizou pelo palco em sua apresentação. Ele flertava com as garotas na plateia, incluindo uma que se virou e arqueou as costas para o palco, balançando os peitos enquanto ele cantava para ela. Em seguida, ele dividiu o palco com Nelly Furtado e Timbaland — tão divertido, tão livre, tão leve.

Mais tarde, ainda naquela noite, a comediante Sarah Silverman subiu ao palco para me fritar. Ela disse que, aos 25 anos, eu já tinha feito tudo que realmente valia a pena na vida. Chamou meus dois bebês de "os erros mais adoráveis que você verá".

Mas só ouvi isso mais tarde. Naquele momento, eu estava no camarim, chorando e soluçando descontroladamente.

Nos dias e nas semanas seguintes, os jornais tiraram sarro do meu corpo e da minha apresentação. O dr. Phil disse que havia sido um desastre.

A única divulgação que fiz para *Blackout* foi uma entrevista de rádio ao vivo com Ryan Seacrest, quando o álbum foi lançado, em outubro de 2007. Na entrevista, que deveria ser a respeito do álbum, Ryan fez perguntas do tipo: "Como você responde às pessoas que te criticam como mãe?"; "Você acha que está fazendo tudo que pode pelos seus filhos?"; "Com que frequência você vai vê-los?".

Esse parecia ser o único assunto sobre o qual as pessoas queriam falar: se eu servia ou não servia para ser mãe. Não era sobre como eu havia criado um álbum tão poderoso enquanto segurava dois bebês no colo e era perseguida por dezenas de homens perigosos o dia todo, todos os dias.

Meus empresários renunciaram. Um guarda-costas foi ao tribunal, com Gloria Allred[12] ao seu lado, como testemunha para a guarda das crianças. Ele afirmou que eu estava usando drogas; sequer foi interrogado apropriadamente.

Uma profissional especializada em orientar pais que havia sido indicada pelo tribunal afirmou que eu amava meus filhos e que, claramente, tínhamos um vínculo. Ela também declarou que não havia absolutamente nada na minha casa que pudesse ser considerado abuso.

Mas essa parte não virou manchete.

---

12 Advogada norte-americana famosa por defender os direitos das mulheres nas cortes dos Estados Unidos. [N.E.]

28

Um dia, no início de janeiro de 2008, eu estava com os meninos e, no fim da visita, um segurança que tinha trabalhado para mim e agora trabalhava para Kevin foi buscá-los.

Primeiro ele colocou Preston no carro. Quando foi buscar Jayden, um pensamento me ocorreu: *Talvez eu nunca mais veja os meus filhos.* Levando em consideração o modo como as coisas estavam indo com a questão da guarda, fiquei aterrorizada com a ideia de não ficar com as crianças novamente se as deixasse ir naquele momento.

Corri para o banheiro com Jayden e tranquei a porta — simplesmente não consegui deixá-lo ir embora. Eu não queria que ninguém levasse o meu bebê. Um amigo estava lá e foi até a porta do banheiro e me disse que o segurança continuaria esperando. Segurei Jayden e chorei demais. Mas ninguém estava me dando mais tempo. Antes que eu soubesse o que estava acontecendo, uma equipe da SWAT usando uniformes pretos irrompeu pela porta do banheiro como se eu tivesse machucado alguém. Eu só era culpada por estar desesperada para ficar com meus próprios filhos por mais algumas horas e por querer alguma garantia de que não os perderia para sempre. Olhei para meu amigo e apenas falei: "Mas você disse que ele esperaria…".

Assim que tiraram Jayden de mim, me amarraram em uma maca e me levaram para o hospital.

O hospital me liberou antes de as 72 horas de observação terminarem. Mas o estrago já estava feito. E não ajudou o fato de os paparazzi estarem me perseguindo ainda mais. Uma nova audiência de custódia foi marcada e me disseram que naquele momento — que eu havia ficado com tanto medo de perder meus filhos que entrei em pânico — eu os veria menos ainda.

Senti que ninguém estava do meu lado. Até a minha família parecia não se importar. Foi perto de um feriado que descobri, em uma exclusiva nos tabloides, que a minha irmã de dezesseis anos estava grávida. A família escondeu isso de mim. Isso aconteceu na época em que Jamie Lynn quase pediu emancipação dos nossos pais. Dentre várias coisas, ela os acusava de não a deixarem usar o celular. Ela acabou tendo que usar celulares descartáveis que tinha em segredo para se comunicar.

Eu agora vejo que, se alguém não está bem — e eu realmente não estava bem —, essa é a hora em que você precisa ir até essa pessoa e apoiá-la. Kevin tirou meu mundo. Ele me destruiu. E a minha família não me apoiou.

Comecei a suspeitar que eles estavam secretamente comemorando o fato de eu estar vivendo o pior momento da minha vida. Mas isso com certeza não poderia estar acontecendo, certo? Eu com certeza estava paranoica.

Certo?

29

Los Angeles é quente e ensolarada o ano todo. Ao dirigir pela cidade, às vezes é difícil dizer qual é a estação do ano. Para onde quer que você olhe, as pessoas estão usando óculos escuros e bebericando algo gelado com um canudinho, sorrindo e rindo sob um céu azul limpo. Mas em janeiro de 2008, o inverno realmente pareceu inverno, até mesmo na Califórnia, porque eu me sentia sozinha e com frio, e estava hospitalizada.

Talvez eu não devesse admitir isto, mas estava furiosa. Tomava muito Adderall. Fui horrível e admito que cometi erros. Sentia tanta raiva por causa de tudo que tinha acontecido com Kevin. Insisti tanto com ele. Eu havia dado tudo de mim.

E ele se virou contra mim.

Comecei a namorar um fotógrafo. Eu estava completamente apaixonada por ele. Ele tinha sido um paparazzo, e eu entendia o motivo de as pessoas pensarem que ele não era confiável, mas tudo que eu podia ver naquela época era o seu cavalheirismo comigo e como me ajudava quando os outros ficavam muito agressivos.

Naquela época, eu falaria se não gostasse de algo — com certeza diria a você. E não pensaria duas vezes antes de fazer isso. (Se eu tivesse levado um soco no rosto em Las Vegas — como aconteceu comigo em julho de 2023 —, eu teria revidado, tenha absoluta certeza disso.)

Eu não tinha medo.

Estávamos sempre sendo perseguidos pelos paparazzi. As perseguições eram bem insanas — às vezes eram agressivas e, às vezes, divertidas também. Muitos dos paparazzi tentavam fazer com que eu parecesse estar mal para conseguir a foto que rendesse mais dinheiro e mostrar "Ah, ela está perdida e parece louca agora". Mas, às vezes, eles também queriam que eu parecesse bem.

Um dia, o fotógrafo e eu estávamos sendo perseguidos, e esse foi um daqueles momentos com ele de que eu nunca vou me esquecer. Estávamos dirigindo rápido, perto da beira de um penhasco, e, não sei por que, mas resolvi dar um cavalo de pau bem ali na beirada. Sinceramente, eu nem sabia que era capaz de fazer isso — não dá para entender, então acho que foi Deus. Mas eu consegui; as rodas traseiras do carro pararam no que parecia ser a beirada, e se as rodas tivessem girado mais umas três vezes, teríamos simplesmente caído no penhasco.

Eu olhei para ele; ele olhou para mim.

"A gente poderia simplesmente ter morrido," falei.

Eu me senti tão viva.

Como pais, estamos sempre dizendo aos nossos filhos: "Cuidado. Não faça isso; não faça aquilo". Mas mesmo que a segurança seja a coisa mais importante, também acredito na importância de termos despertares e de nos desafiarmos a nos sentir livres, a ser destemidos e vivenciar tudo o que o mundo tem a oferecer.

Na época, eu não sabia que o fotógrafo era casado; não fazia ideia de que eu, basicamente, era amante dele. Só descobri isso depois que havíamos terminado. Eu o achava muito divertido e o tempo que passamos juntos foi incrivelmente excitante. Ele era dez anos mais velho que eu.

Aonde quer que eu fosse — e durante um tempo eu saí bastante —, os paparazzi estavam lá. E ainda assim, apesar de todos os relatos sobre eu estar descontrolada, não sei se alguma vez fiquei fora de mim de um modo que justificasse o que aconteceu na sequência. A verdade é que eu estava *triste*, profundamente triste, sentindo falta dos meus filhos quando eles estavam com Kevin.

O fotógrafo me ajudou com a minha depressão. Eu ansiava por atenção, e ele me deu toda a atenção de que eu precisava. Foi um relacionamento baseado em luxúria. A minha família não gostava dele, mas havia muitas coisas neles de que eu não gostava também.

O fotógrafo me encorajou a me rebelar. Ele me deixava sair com quem eu quisesse e ainda assim continuou me amando. Ele me amou incondicionalmente. Não era como a minha mãe gritando comigo porque eu ia a festas. Ele me dizia: "Garota, vai em frente, você pode, faça o que você quiser!". Ele não era como o meu pai, que havia estabelecido condições impossíveis para me amar.

E, assim, com o apoio do fotógrafo, vivi tudo o que eu queria viver. E parecia radical ser tão ousada. Tão distante do que todo mundo queria que eu fosse.

Eu falava como se estivesse louca. Berrava — aonde quer que eu fosse, até mesmo em restaurantes. As pessoas saíam para comer comigo e eu me deitava sobre a mesa. Era uma forma de dizer "Foda-se!" a qualquer um que cruzasse o meu caminho.

Sim, realmente: eu fui *maldosa*.

Ou talvez eu não tenha sido tão má enquanto sentia muita, muita raiva.

Eu queria fugir. Não tinha meus filhos comigo e precisava me afastar da mídia e dos paparazzi. Eu queria sair de Los Angeles, então o fotógrafo e eu viajamos para o México.

Era como se eu tivesse ido para um refúgio seguro. Em qualquer outro lugar haveria um milhão de pessoas do lado de fora da minha porta. Mas quando saí de L.A., mesmo que tenha sido por um curto período, me senti distante de tudo isso. Funcionou — fiquei melhor por um tempo. Eu deveria ter aproveitado mais.

O meu relacionamento com o fotógrafo parecia estar ficando cada vez mais sério e, quando isso aconteceu, senti que a minha família estava tentando se aproximar de mim — de uma maneira que me deixou inquieta.

Um dia, a minha mãe me ligou e disse: "Britney, achamos que tem alguma coisa acontecendo. Parece que a polícia está atrás de você. Vamos para a casa de praia".

"A polícia está atrás de mim?", falei. "Por quê?"

Eu não tinha feito nada ilegal. Disso eu tinha certeza. Eu tive meus momentos. Havia vivido uma fase de desequilíbrio. Eu tinha ficado chapada de Adderall e agido como uma doida. Mas não tinha feito nada criminoso. Na verdade, e ela sabia disso, eu tinha passado os dois dias anteriores com as minhas amigas.

A minha mãe e eu estávamos com a minha prima Alli e outras duas amigas.

"Vai pra lá!", ela disse. "Queremos falar com você."

Então fui para a casa. O fotógrafo me encontrou lá.

Minha mãe estava agindo de forma suspeita.

Quando o fotógrafo chegou, disse: "Tem alguma coisa acontecendo, né?".

"Sim", respondi. "Tem alguma coisa errada."

De repente, havia helicópteros sobrevoando a casa.

"Isso é por minha causa?", perguntei para a minha mãe. "Isso é uma piada?"

Não era uma piada.

Do nada, uma equipe da SWAT composta pelo que pareciam vinte homens estava na minha casa.

"Que porra eu fiz?", eu gritava. "Eu não fiz nada!"

Eu sabia que estava agindo de maneira descontrolada, mas não havia feito nada que justificasse eles me tratarem como se eu fosse uma assaltante de banco. Nada que justificasse virar minha vida de cabeça para baixo.

Eu mais tarde começaria a acreditar que alguma coisa tinha mudado naquele mês desde a última vez que fui levada para o hospital para ser avaliada. Meu pai começou uma amizade muito próxima com Louise "Lou" Taylor, a quem ele venerava. Ela foi uma figura central durante a implementação da curatela que posteriormente permitiria que eles assumissem o controle da minha carreira. Lou, que tinha acabado de abrir uma nova empresa chamada Tri Star Sports & Entertainment Group, estava diretamente envolvida na tomada de decisões pouco antes da curatela. Na época, ela tinha poucos clientes reais. Ela basicamente usou o meu nome e o meu trabalho suado para construir sua empresa.

A curatela, também conhecida como interdição, costuma ser reservada a pessoas sem capacidade mental, incapazes de cuidar de si mesmas. Mas eu estava totalmente funcional. Eu tinha acabado de lançar o melhor álbum da minha carreira. Estava sendo muito lucrativa para muitas pessoas, especialmente para o meu pai, que descobri que recebia um salário maior do que o que me pagava. Ele pagava a si mesmo mais de seis milhões de dólares enquanto pagava a outras pessoas próximas a ele dezenas de milhões a mais.

O fato é que você pode ter uma curatela que dure dois meses, e aí a pessoa volta aos eixos e você deixa que ela controle a própria vida, mas não era isso que o meu pai queria. Ele queria muito mais.

Meu pai conseguiu dois tipos de curatela: uma conhecida como "curatela da pessoa" e a outra, conhecida como "curatela dos bens". O curador da pessoa é designado para controlar os detalhes da vida do curatelado, como onde ele mora, o que come, se pode dirigir um carro, o que faz no dia a dia. Mesmo que eu tenha implorado no tribunal que *qualquer outra pessoa* fosse designada — e afirmo que qualquer um na rua teria sido uma escolha melhor —, meu pai foi designado responsável, o mesmo homem que me fazia chorar se eu tivesse que entrar no carro com ele quando eu era pequena porque ele falava sozinho. O tribunal foi informado de que eu estava demente, e não tive permissão nem para escolher o meu próprio advogado.

O curador dos bens — no meu caso, um patrimônio no valor de dezenas de milhões de dólares em determinado momento — faz a gestão dos negócios do curatelado para evitar que fiquem "sujeitos a influência indevida ou fraude". Esse papel foi assumido pelo meu pai com um advogado chamado Andrew Wallet, que acabaria recebendo 426 mil dólares por ano para me manter longe de meu próprio dinheiro. Eu seria forçada a pagar um salário anual de 500 mil dólares para o meu advogado nomeado pelo tribunal, e que eu não tinha permissão para trocar.

Parecia que meu pai e o funcionário de Lou, Robin Greenhill, controlavam a minha vida e monitoravam cada movimento meu. Eu era uma popstar de 1,63 m que chamava todos de "senhor" e "senhora". E eles me trataram como se eu fosse uma criminosa ou uma predadora.

Houve momentos em que precisei do meu pai ao longo dos anos e pedi ajuda, e ele não estava lá. Mas quando chegou a hora de ele ser o curador, é claro que ele estava presente! Ele só se importava com o dinheiro.

Da minha mãe, não posso dizer que ela foi melhor. Ela agiu inocentemente enquanto dormia na minha casa por duas noites junto comigo e as minhas amigas. Ela sabia o tempo todo que eles me levariam embora. Estou convencida de que tudo isso foi planejado e que o meu pai, a minha mãe e Lou Taylor estavam todos envolvidos. A Tri Star estava planejando ser minha cocuradora. Mais tarde, soube que, quando me colocaram sob curatela, logo após sua falência, meu pai tinha uma dívida financeira com

Lou e devia a ela pelo menos 40 mil dólares, um valor muito alto para ele, especialmente naquela época. Isso é o que meu novo advogado, Mathew Rosengart, mais tarde chamou de "conflito de interesses" no tribunal.

Pouco depois de eu ter sido levada ao hospital contra a minha vontade, fui informada de que os papéis da curatela tinham sido protocolados.

30

Enquanto a minha vida desmoronava, minha mãe estava escrevendo um livro de memórias. Ela escreveu sobre como tinha sido ver sua linda filha raspando a cabeça e se perguntar como aquilo era possível. Disse que eu costumava ser "a garotinha mais feliz do mundo".

Quando eu fazia um movimento errado, minha mãe parecia não se preocupar. Ela falaria sobre cada um dos erros que eu cometesse na televisão, promovendo seu livro.

Ela escreveu o livro tirando vantagem do meu nome e falando sobre como tinha sido cuidar de mim e dos meus irmãos em uma época em que nos três éramos casos perdidos. Jamie Lynn era uma adolescente grávida. Bryan estava lutando para se encontrar na vida e ainda estava convencido de que tinha decepcionado nosso pai. E eu estava em colapso.

Quando o livro foi lançado, minha mãe apareceu em todos os programas matinais. Eu ligava a TV e via algum vídeo meu antigo e minha cabeça raspada passando na tela. E lá estava minha mãe contando para Meredith Vieira no programa *Today* que ela havia passado horas tentando entender como foi que as coisas deram tão errado. Em outro programa, a plateia a aplaudiu quando ela disse que minha irmã tinha engravidado aos dezesseis anos. Isso foi elegante pra caralho, aparentemente, porque ela ainda estava com o pai da criança. Sim, que maravilhoso — ela estava casada com ele e tendo um bebê aos dezessete anos. *Eles ainda estão juntos! Ótimo! Não importa que ela seja uma criança grávida de outra criança!*

Eu passava por uma das fases mais sombrias da minha vida, e minha mãe estava falando para a plateia: "Ah, sim... e tem a... Britney".

E todos os programas mostravam imagens minhas com a cabeça raspada.

O livro foi algo gigantesco para ela, e tudo às minhas custas. O timing foi inacreditável pra cacete.

Estou disposta a admitir que durante a agonia de uma grave depressão pós-parto, o abandono do meu marido, a tortura de estar separada dos meus dois filhos, a morte da minha querida tia Sandra e a constante pressão dos paparazzi, comecei a pensar, de certa forma, como uma criança.

E mesmo assim, olho para as piores coisas que fiz na época e acredito que, se juntar tudo, não chega nem perto de toda a crueldade que minha mãe fez comigo ao escrever e promover aquele livro.

Ela estava nos programas matinais tentando vender seu livro que falava de quando eu estava em hospitais e quase enlouquecendo por estar longe de meus bebês por semanas a fio. Ela ganhava dinheiro às custas do meu sofrimento.

Naqueles dias, eu não estava bem. Essa é a verdade. Mas o que muitas pessoas concluíram a partir do livro da minha mãe foi: "Nossa, a Britney é tão má". O livro dela me fez acreditar que *eu* era má! E ela fez isso num período em que eu já sentia vergonha demais.

Juro por Deus, me dá vontade de chorar só de pensar nos meus filhos passando por coisas difíceis como essas que eu estava enfrentando enquanto eram bebês. Se um dos meus filhos passasse por algo parecido, você acha que eu escreveria um livro a respeito?

Eu ficaria de joelhos. Faria tudo que pudesse para ajudá-lo a superar o problema, o acolheria, para deixar as coisas melhores.

A última coisa que eu faria seria cortar meu cabelo em um corte bob e vestir um terninho elegante e ir a um programa matinal para me sentar de frente com a porra da Meredith Vieira e ganhar dinheiro às custas da desgraça da minha filha.

Às vezes eu falo umas baboseiras no Instagram. As pessoas não sabem por que sinto tanta raiva dos meus pais. Mas acho que, se estivessem no meu lugar, elas entenderiam.

31

A curatela foi estabelecida porque, supostamente, eu era incapaz de fazer qualquer coisa — me alimentar, gastar meu próprio dinheiro, ser mãe, qualquer coisa. Então por que, após algumas semanas, me fizeram participar de dois episódios de *How I Met Your Mother* e em seguida me mandaram sair em uma extenuante turnê mundial?

Depois que a curatela começou, minha mãe e a namorada do meu irmão cortaram o cabelo curto e saíram para jantar e beber vinho — os paparazzi estavam lá, tirando fotos deles. Parecia tudo armado. Meu pai mandou meu namorado embora, e eu não podia dirigir. Minha mãe e meu pai roubaram a minha feminilidade. Todos eles saíram ganhando, menos eu.

Eu fiquei em choque pelo fato de o Estado da Califórnia permitir que um homem como meu pai — um alcoólatra, uma pessoa que declarou falência, que faliu seus negócios, que me aterrorizava quando eu era criança — me controlasse depois de tudo o que eu havia conquistado e feito.

Pensei nos conselhos que meu pai me deu ao longo dos anos em que resisti e me perguntei se eu seria capaz de resistir por mais tempo. Ele argumentou que a curatela era um passo importante rumo ao meu "comeback". Alguns meses antes, eu havia lançado o melhor álbum da minha carreira, mas tudo bem. Foi isto que as palavras do meu pai significaram para mim: "Ela está ótima agora! Está colaborando com a gente! É uma situação perfeita para a nossa família".

Era bom para *mim*? Ou era bom para *ele*?

Que engraçado!, pensei. *Eu posso voltar a trabalhar outra vez como se nada tivesse acontecido! Estou doente demais para escolher meu próprio namorado, e ainda assim estou saudável o bastante para aparecer em séries de TV e programas matinais, e para me apresentar para milhares de pessoas em diferentes lugares do mundo a cada semana!*

A partir daquele momento, comecei a pensar que ele me via como uma cria trazida ao mundo com o único objetivo de contribuir com o fluxo de caixa deles.

Na minha casa, meu pai se apossou do cantinho onde eu estudava e do meu bar, transformando-o em seu escritório. Havia uma tigela ali onde eu guardava várias notas fiscais.

Sim, confesso: era tão certinha que guardava todos as notas em uma tigela. Toda semana eu fazia as contas dos meus gastos de um jeito bem tradicional para ter controle das deduções dos meus impostos. Mesmo quando eu estava vivendo minha fase mais complicada, a minha essência se manteve. Para mim, essa tigelinha era a prova de que eu ainda era capaz de cuidar dos meus negócios. Conheci músicos que usavam heroína, arrumavam briga e jogavam TVs pela janela de hotéis. Além de eu nunca ter roubado nada nem nunca ter machucado ninguém ou usado drogas pesadas — *eu ainda guardava as notas fiscais para ter controle das deduções dos meus impostos.*

Não mais. Meu pai jogou de lado minha tigela de notas e colocou as coisas dele no bar. "Eu só quero que você saiba", ele disse, "que eu dito as regras. Você senta aí nessa cadeira e eu vou falar pra você o que vai acontecer."

Eu olhei para ele com um sentimento crescente de horror.

"Eu sou a Britney Spears agora", ele declarou.

32

Nas raras ocasiões em que saía de casa — como quando ia à casa do meu agente e amigo, Cade, para um jantar —, a equipe de segurança vasculhava o imóvel inteiro para se certificar de que lá não havia álcool nem drogas, nem mesmo paracetamol. Ninguém na festa podia beber até que eu fosse embora. Os outros convidados levavam tudo na esportiva, mas eu sabia que bastava eu ir embora para a festa de verdade começar.

Quando alguém se interessava por mim, a equipe de segurança que se reportava ao meu pai investigava os antecedentes do pretendente, fazia com que ele assinasse um acordo de confidencialidade e chegava a submetê-lo a um exame de sangue. (E meu pai também me disse que eu nunca mais poderia ver o fotógrafo com quem namorava.)

Antes de um encontro, Robin informava o homem a respeito dos meus históricos médico e sexual. Para ficar claro: isso acontecia antes do primeiro encontro. Tudo era muito humilhante, e sei que a insanidade desse esquema me impediu de encontrar uma simples companhia, ter uma noite divertida ou fazer novos amigos — quem dirá poder me apaixonar.

Agora, quando penso no modo como meu pai foi criado por June e no modo como ele me criou, desde o início eu sabia que seria um verdadeiro pesadelo tê-lo controlando *tudo*. A ideia de ter o meu pai cuidando de qualquer área da minha vida me apavorou. Mas controlando *tudo*? Essa era a pior coisa que poderia acontecer para a minha música, a minha carreira e a minha sanidade.

Rapidinho, liguei para o advogado esquisito que o tribunal havia nomeado para mim e pedi que me ajudasse. Inacreditavelmente, ele era tudo que eu tinha — mesmo que eu não o houvesse escolhido. Me disseram que eu não podia contratar outra pessoa, porque meu advogado tinha que ser escolhido pela corte. Mais tarde, eu descobriria que isso foi uma mentira deslavada: durante treze anos eu não soube que poderia escolher o meu próprio advogado. Sentia que o advogado escolhido para mim não parecia querer me ajudar a entender o que estava acontecendo, ou lutar pelos meus direitos.

Minha mãe, que é a melhor amiga do governador da Louisiana, poderia ter me colocado no telefone com ele, que teria me dito que eu poderia conseguir meu próprio advogado. Mas ela manteve isso em segredo. Em vez disso, arranjou um advogado para si mesma apenas para poder brigar com meu pai, como fazia quando eu era mais nova.

Várias vezes, eu me opus, especialmente quando meu pai cortou meu acesso ao meu celular. Eu consegui contrabandear um celular particular[13] e tentei me libertar. Mas eles sempre me pegavam.

---

13 Um celular particular bloqueia o ID do aparelho, ou seja, ao contatar alguém, o número e a localização do celular não são visíveis. [N.E.]

E eis a triste, mas real verdade: depois de tudo que passei, eu não tinha mais vontade de lutar. Eu estava cansada e com muito medo também. Após ser amarrada em uma maca, sabia que eles poderiam me prender quando quisessem. *Eles poderiam tentar me matar*, pensei. Comecei a imaginar se queriam fazer isso.

Quando meu pai disse "Eu que mando aqui", pensei: *Isso é demais para mim.* Mas eu não via saída. Então, senti meu espírito recuar e entrei no piloto automático. *Se tiver de viver assim, com certeza eles verão quão boa eu sou e vão me libertar.*

Então, entrei no jogo.

Depois que me casei com Kevin e tive meus filhos, Felicia ainda ficou um pouco comigo; eu sempre a adorei, mas quando parei de fazer turnês e comecei a sair menos, perdemos o contato. Havia rumores de que ela voltaria para a Circus Tour, mas, por algum motivo, ela nunca mais foi minha assistente. Mais tarde, fiquei sabendo que meu pai disse a Felicia que eu não queria que ela trabalhasse mais para mim. Mas eu nunca falei isso. Se soubesse que ela queria ter feito algo por mim, eu nunca a impediria. Sem meu conhecimento, meu pai me manteve longe dela.

Nunca mais vi alguns dos meus verdadeiros amigos — não consegui até hoje. Isso tudo me desligou emocionalmente mais ainda do que antes.

Meus pais fizeram alguns amigos antigos me visitar para tentar me fazer sentir melhor.

"Não, obrigada", respondi.

Digo, eu os amava demais, mas eles tinham filhos agora e seguiram com suas vidas. A visita deles me parecia mais solidariedade do que vontade de se relacionar. Ajuda é algo bom, mas só quando é solicitada. Não quando não é uma escolha.

É muito difícil relembrar esse capítulo obscuro da minha vida e pensar sobre tudo que poderia ter sido diferente se eu tivesse resistido mais. Não gosto, de jeito nenhum, de pensar nisso, não mesmo. Não posso me dar ao luxo disso, honestamente. Já passei por muita coisa.

E, quando a curatela começou, era verdade que eu estava farreando muito. Fisicamente, meu corpo não aguentava mais. Era hora de sossegar. Mas eu parti de um extremo a outro: numa hora estava farreando e, na outra, tinha virado uma monja. Sob a curatela, eu não fazia nada.

Um dia, eu estava com o fotógrafo, correndo por aí com o meu carro, vivendo a vida. E, do nada, eu estava sozinha, sem fazer nada, nem mesmo me era permitido usar meu celular. Fui do vinho para a água.

Na minha vida antiga eu tinha liberdade: a liberdade de tomar minhas próprias decisões, organizar minha agenda, acordar e decidir o que eu faria no dia. Mesmo os dias mais difíceis eram os *meus* dias difíceis. No momento em que desisti de lutar, na minha nova vida, eu acordava todas as manhãs e fazia uma única pergunta: "O que vamos fazer?".

E eu fazia o que me mandavam fazer.

Quando ficava sozinha à noite, tentava encontrar inspiração na beleza ou me transportava para a música, para filmes, ou livros —

qualquer coisa que me ajudasse a não pensar no horror em que eu vivia. Assim como quando era criança, eu procurava outros mundos como fuga.

Parecia que todos os pedidos passavam pelo meu pai e Robin. Eles decidiam aonde e com quem eu iria. Sob a orientação de Robin, os seguranças me entregavam envelopes com os remédios que eu deveria tomar e se certificavam de que tinha tomado todos. Eles colocaram controle parental no meu iPhone. Tudo era examinado e controlado. Tudo.

Eu ia dormir cedo para, então, acordar e fazer o que me mandavam fazer. Todo dia era assim. Todo dia era igual ao anterior. Parecia aquele filme *Feitiço do tempo*.

Eu vivi assim por treze anos.

Se você estiver se perguntando por que aceitei viver assim, eu tive um bom motivo. Fiz isso pelos meus filhos.

Como segui as regras, pude encontrar os meus meninos.

Era uma experiência única poder abraçá-los novamente. Quando eles adormeceram perto de mim na nossa primeira noite juntos, me senti completa pela primeira vez em meses. Eu apenas ficava observando os dois dormindo e me sentia a pessoa mais sortuda do mundo.

Para poder vê-los mais vezes, fiz tudo que podia para acalmar Kevin. Paguei os honorários advocatícios da parte dele, mais a pensão das crianças, além de milhares de dólares a mais por mês, assim, as crianças poderiam me acompanhar na Circus Tour. Naquele curto período, fui ao programa *Good Morning America*, iluminei a árvore de Natal em Los Angeles, participei do programa da Ellen e fiz shows na Europa e na Austrália. Mas, novamente, a questão me incomodava. Se eu estava tão doente e incapacitada de tomar minhas próprias decisões, por que eles achavam que estava tudo bem eu sair por aí sorrindo e acenando para as pessoas, cantando e dançando em tantas cidades diferentes por semana?

Vou te dar uma boa razão.

A Circus Tour arrecadou mais de 130 milhões de dólares.

A empresa de Lou Taylor, Tri Star, ficou com cinco por cento. E soube, depois da curatela, que mesmo quando eu estava em hiato em 2019 e o dinheiro não entrava, meu pai pagava a eles uma "taxa fixa" mínima a mais, de modo que eles receberam centenas de milhares de dólares a mais.

Meu pai também recebeu uma porcentagem, e ao longo da curatela, ganhava cerca de 16 mil dólares por mês, mais do que já tinha ganhado antes. Ele lucrou muito com a curatela, tornando-se um multimilionário.

Trocar a minha liberdade por cochilos com meus filhos — era o tipo de acordo que eu faria. Não há nada que eu ame mais — não há nada mais importante para mim na face da Terra — do que meus filhos. Abdico da minha vida por eles.

Então, pensei, *por que não a minha liberdade?*

33

Como você mantém a esperança? Eu decidi aceitar a curatela para o bem dos meus filhos, mas viver assim era *muito difícil*. Eu sabia que havia algo em mim que diminuía a cada dia. Ao longo do tempo, a chama dentro de mim se apagou. A luz se extinguiu dos meus olhos. Sei que meus fãs são capazes de ver isso, mesmo sem entender tudo o que acontecia, porque eu era rigidamente controlada.

Me compadeço muito pela mulher que fui antes da curatela, quando eu gravava *Blackout*. Mesmo sendo descrita como rebelde e selvagem, meu melhor trabalho foi realizado nessa época. Contudo, foi num momento horrível. Eu tinha meus dois bebês e sempre havia briga porque eu queria vê-los.

Eu penso nisso agora e acho que fui sábia o suficiente para focar minha vida em casa e nada mais, por mais difícil que fosse.

Na época, Kevin me dizia: "Bem, se você se encontrar comigo neste fim de semana, teremos um encontro de duas horas onde faremos x e y, então, *pode ser* que eu deixe você ver os meninos um pouco mais". Tudo era praticamente um pacto com o diabo para eu conseguir o que queria.

Eu fui rebelde, sim, mas vejo agora que há uma razão para as pessoas agirem assim. E você deve permitir que elas vivam esse momento. Não estou dizendo que eu estava certa com a minha vida decaindo, mas acho que reprimir o espírito de uma pessoa a ponto de diminuí-lo demais e ela não se sentir mais a mesma — também não acho que isso seja saudável. Como pessoas, temos que testar o mundo. Você tem que testar seus limites para descobrir quem você é, como quer viver.

Outras pessoas — e, por "outras pessoas", me refiro aos homens — sempre tiveram essa liberdade. Roqueiros chegavam propositadamente atrasados às premiações e todos achavam isso legal. Astros do pop dormem com muitas mulheres e isso também é bacana. Kevin me deixava em casa com duas crianças quando ele queria fumar maconha e gravar seu rap "Popozão". Depois, ele levou meus filhos para longe de mim e a revista *Details* o chamou de "Pai do Ano". Um paparazzo que me perseguiu e atormentou por meses me processou, exigindo reparação de 230 mil dólares porque passei com a roda do carro por cima do seu pé quando estava tentando fugir dele. Fizemos um acordo e tive que dar muita grana para o cara.

Quando Justin me traiu e depois andou todo sexy por aí, foi tido como bonitinho. Mas quando eu vesti um body brilhante, Diane Sawyer me fez chorar em rede nacional, a MTV me fez ouvir as pessoas criticando minhas roupas e a esposa de um governador disse que queria dar um tiro em mim.

Cresci sob os olhares de todo mundo. Era analisada de cima a baixo, as pessoas ficavam opinando sobre o que achavam do meu corpo desde que eu era adolescente. Raspar a minha cabeça e agir como agi foi uma maneira de repelir isso. Mas, sob a curatela, me fizeram entender que aqueles dias haviam acabado. Eu tive que deixar meu cabelo crescer e ficar em forma outra vez. Dormia cedo e tomava qualquer remédio que eles me davam.

Se eu achava que a imprensa criticar meu corpo era ruim, doía ainda mais quando as críticas vinham do meu próprio pai. Repetidamente, ele me dizia que eu estava gorda e que tinha que fazer algo a respeito. Então, todos os dias eu vestia minha roupa de academia e ia malhar. Tinha uns momentos de criatividade aqui e ali mas eu já não tinha o entusiasmo de antes. Nesse momento, minha paixão por cantar e dançar eram praticamente uma piada.

Sentir-se incompetente o tempo todo destrói você por dentro quando criança. Ele martelou essa mensagem em mim quando eu era pequena e, mesmo depois de ter conquistado tantas coisas, continuava fazendo isso comigo.

Você me destruiu como pessoa, queria dizer para o meu pai. *Agora você está me obrigando a trabalhar para você. Eu vou fazer isso, mas estarei morta se fizer isso de coração.*

Eu me tornei um robô. Mas não um robô qualquer — uma espécie de criança-robô. Fui tão infantilizada que acabei perdendo partes do que compunha o meu eu verdadeiro. Qualquer coisa que meu pai ou minha mãe dissessem para fazer eu rejeitava. Meu orgulho como mulher não me permitia levá-los a sério. A curatela roubou a minha feminilidade, me fazendo ser criança outra vez. Me tornei mais uma entidade do que uma pessoa no palco. Sempre senti a música correndo pelas minhas veias, e eles roubaram isso de mim.

Se deixassem eu viver a minha vida, sei que teria seguido meu coração e me esforçado para sair daquela situação da forma correta.

Por treze anos vivi à sombra de mim mesma. Relembrar, agora, a forma como meu pai e seus sócios controlaram meu corpo e meu dinheiro por tanto tempo me enoja. Pense em quantos artistas homens apostaram todo seu dinheiro e perderam, quantos tiveram problemas com drogas ou de saúde mental. Ninguém tentou tirar deles *o poder de decisão sobre seu corpo e suas finanças*. Eu não mereci o que minha família fez comigo.

O fato é: conquistei muitas coisas durante o período em que, supostamente, eu era incapaz de cuidar de mim mesma.

Em 2008, ganhei mais de vinte prêmios, incluindo o de "Mulher do Ano" da revista *Cosmopolitan*. Um ano depois daquele VMA em que tiraram sarro de minha performance de "Gimme More", ganhei três Moonman. O clipe de "Piece of Me" venceu todas as categorias em que concorreu, incluindo a de "Clipe do Ano". Eu agradeci a Deus, aos meus filhos e aos meus fãs por ficarem ao meu lado.

Às vezes eu achava quase cômica a quantidade de prêmios que ganhei com um álbum que tinha feito enquanto eu estava, supostamente, tão incapacitada a ponto de precisar ser controlada pela minha família.

A verdade, no entanto, é que quando parei para pensar nisso por um bom tempo, não foi nada engraçado.

34

De maneira geral, enquanto eu continuava, diariamente, me sentindo miserável, fui capaz de encontrar felicidade e conforto em meus meninos e na minha rotina. Eu namorei Jason Trawick. Ele era dez anos mais velho e tinha uma vida estruturada. Eu amei o fato de que ele não era artista e, em vez disso, era agente, então sabia como era o mundo em que eu vivia e entendia a minha vida. Ficamos juntos por três anos.

Quando saíamos juntos, Jason era extremamente vigilante. Eu era muito sem noção às vezes (mas não sou mais assim; agora, basicamente, sou uma agente da CIA).

Jason sempre observava tudo, monitorava obsessivamente a situação. Eu vivi cercada por paparazzi por tanto tempo que sabia o que estava acontecendo. Eu conhecia o esquema. Então, vê-lo de terno, trabalhando para esta agência importante, entrando no carro comigo — senti que Jason estava ciente de quem eu era. Ele se preocupou bastante em como conduzir as coisas. Eu estava acostumada com fotógrafos me cercando pelas ruas, então mal era capaz de notar que eles estavam lá, o que acho, também, que não era bom.

Nosso relacionamento foi ótimo. Eu o amei muito e senti que ele também me amou muito.

Psicologicamente, eu ainda estava destruída por tudo que tinha acontecido com Kevin e meus filhos e por viver sob as regras rígidas da curatela do meu pai. Eu tinha uma casa em Thousand Oaks. Meus filhos eram mais crescidos na época, e meu pai ainda controlava a minha vida.

Mesmo que eu não estivesse trabalhando por um tempo após a Femme Fatale Tour, meu pai palpitava em tudo que eu fazia, inclusive no que eu comia. Fiquei confusa porque minha mãe nunca havia dito nada sobre isso, mas meus pais retomaram o relacionamento deles em 2010, oito anos após o divórcio. E me senti traída pelo Estado da Califórnia. Minha mãe parecia adorar que, por causa da curatela, meu pai agora tinha um emprego de verdade. Eles assistiam a *Criminal Minds* no sofá toda noite. Quem faz isso?

Quando meu pai me disse que eu não podia comer sobremesa, senti que não era só ele me dizendo, mas a minha família e o estado, como se eu não tivesse permissão legal para comer sobremesa, porque ele disse que não podia.

Chegou um momento em que comecei a me questionar: *Espere, onde eu estou?* Nada mais fazia sentido.

Sentindo que precisava de uma direção, decidi voltar a trabalhar. Tentei me ocupar sendo produtiva. Comecei a aparecer mais em programas de TV — participando, em 2012, como jurada do *The X Factor*.

Acho que muitas pessoas são realmente profissionais na TV, como Christina Aguilera e Gwen Stefani. Quando a câmera começa a gravar, elas se agigantam. E isso é ótimo. Eu costumava saber como agir quando era mais jovem, mas, novamente, agia como uma criancinha quando ficava com medo. Então acabava ficando muito, muito nervosa se eu soubesse que ia entrar ao vivo, e não gostava de ficar nervosa o dia todo. Talvez eu não servisse mais para fazer aquilo.

Já aceitei isso e tudo bem. Posso dizer para as pessoas que tentam me levar a uma direção: NÃO. Fui forçada a fazer coisas que não queria e fui humilhada. Não aceito mais isso. Agora, se você me chamar para fazer uma participação especial fofa em um programa de TV divertido e a gravação levar só um dia, tudo bem, mas agir de modo cético por oito horas seguidas julgando as pessoas na TV? Ah, não, obrigada. Eu simplesmente odiei isso.

Foi na época em que fiquei noiva do Jason. Ele me ajudou a superar muitas coisas. Mas, em 2012, pouco depois de ele ter se tornado parte responsável da curatela, meus sentimentos mudaram. Não conseguia ver naquele tempo, mas percebo agora que o fato de ele estar associado à organização que controlava a minha vida pode ter contribuído para o romance ter acabado. Chegou um momento em que eu percebi que não pensava mal dele, mas também não o amava mais. Parei de dormir no mesmo quarto que ele, só queria abraçar e ficar com meus filhos. Tenho uma conexão especial com eles. Literalmente, fechei a porta para o Jason.

Minha mãe disse: "Isso é detestável".

"Sinto muito, não consigo evitar. Eu não o amo mais assim", respondi.

Ele terminou comigo, mas não liguei porque já não gostava mais dele. Jason escreveu uma longa carta para mim e desapareceu. Pediu demissão da equipe da curatela quando o nosso relacionamento terminou. Para mim, parecia ter algo a ver com uma crise de identidade. Ele fez mechas coloridas no cabelo e foi para o píer de Santa Monica, onde andava de bicicleta diariamente com um bando de caras tatuados.

Ei, entendi o que foi. Agora que já cheguei aos 40, estou vivendo minhas crises de identidade. Acho que tinha chegado a hora de seguirmos rumos diferentes.

Fazer as turnês sob a curatela significava estar rigidamente sóbria, então não podia ingerir nada de álcool. Uma vez, acabei ficando junto com um grupo de dançarinos da Christina Aguilera. Nos encontramos com Christina em Los Angeles. Ela não parecia bem. Mas eu e os dançarinos acabamos nadando em uma belíssima piscina e curtindo em uma jacuzzi. Teria sido mais legal se tivéssemos drinques, para a gente se soltar com mais audácia e alegria. Isso não me era permitido porque a minha vida tinha se tornado um eterno fim de semana na igreja com carolas enquanto eu vivia sob a curatela.

De várias maneiras, eles fizeram eu me tornar uma adolescente outra vez; em outras, eu era uma menina. Mas, às vezes, apenas me sentia como uma mulher adulta presa que estava puta da vida o tempo todo. Isso é o mais difícil de explicar, quão rápido eu oscilava entre ser uma garotinha, uma adolescente e uma mulher, por causa do jeito que eles tinham roubado a minha liberdade. Não tinha como agir como adulta porque eles não me tratavam dessa forma, daí eu voltava a ser uma garotinha; mas, então, meu lado adulto voltava, exceto que não me era permitido *ser* uma mulher adulta.

A mulher em mim foi colocada em segundo plano por muito tempo. Queriam que eu fosse ousada no palco, me diziam como eu deveria agir e que deveria ser um robô o resto do tempo. Senti que todos os melhores segredos da vida eram proibidos para mim — aqueles pecados essenciais de indulgência e aventura que nos tornam humanos. Eles queriam tirar de mim tudo que era especial e me manter em uma rotina restrita. Isso era a morte para a minha criatividade como artista.

De volta ao estúdio, fiz uma boa música em parceria com o will.i.am chamada "Work Bitch". Mas eu não estava fazendo muitas músicas das quais me orgulhasse, provavelmente porque não tinha inspiração. Eu estava tão desmoralizada. Parecia que meu pai escolhia os estúdios mais sombrios e feios para gravar, e que algumas pessoas adoravam pensar que eu não notava essas coisas. Eu me senti encurralada nessas situações. Senti que eles armaram para mim. Era como se alimentassem meu medo e transformassem tudo em drama, o que por sua vez me deixava infeliz, e assim eles sempre venceriam. Tudo o que eu sabia era que tinha que trabalhar e queria fazer a coisa certa — fazer um álbum do qual me orgulhasse. Mas era como se eu tivesse esquecido que era uma mulher poderosa.

Depois de participar do *X Factor*, meu empresário me apresentou uma oferta para eu fazer uma residência em Las Vegas. Pensei, *Por que não?*

Meu coração não estava mais querendo gravar músicas. Minha paixão não era a mesma de antes. Eu não tinha mais energia. Eu estava tão cansada.

Eu tinha dois filhos. Havia tido um colapso. Meus pais tomavam conta da minha carreira. O que eu ia fazer àquela altura, só ir para casa?

Então aceitei a oferta.

Fui para Vegas com o mesmo pensamento que todos têm quando vão para lá — esperando vencer.

35

Amei o calor seco de Las Vegas. Amei a forma como todos acreditavam na sorte e em sonhos. Eu sempre gostei da cidade, desde a época em que Paris Hilton e eu fomos para lá, chutando nossos sapatos para longe e correndo pelos cassinos. Mas, agora, isso parecia ter acontecido há muito tempo.

Minha residência começou logo após o Natal de 2013. Os meninos tinham sete e oito anos. No começo, foi um ótimo show.

Estar no palco em Vegas foi emocionante no começo. E ninguém me deixou esquecer que minha residência foi um marco para a Strip. Me disseram que meu show atraiu os jovens de volta à Cidade do Pecado e mudou o cenário do entretenimento em Las Vegas para uma nova geração. Os fãs me mandavam tanta energia. Eu tinha dominado a apresentação. Estava muito confiante e, por um momento, tudo foi bem — tão bem quanto pode ser quando se está sendo controlada o tempo todo. Comecei a namorar um produtor de TV chamado Charlie Ebersol. Para mim, ele parecia alguém para casar: cuidava muito de si mesmo. Sua família era próxima. Eu o amava.

Charlie malhava todos os dias, tomava suplementos pré-treino e um monte de vitaminas. Ele compartilhou seu conhecimento nessa área e começou a me dar uns suplementos energéticos.

Meu pai não gostou disso. Ele sabia o que eu comia, inclusive sabia quando eu ia ao banheiro. Então, quando comecei a tomar esses suplementos, ele percebeu que eu tinha mais energia no palco e que estava mais em forma que antes. Parecia óbvio que a dieta do Charlie estava sendo boa para mim. Mas acredito que meu pai começou a pensar que eu tinha algum "problema" com esses suplementos, mesmo sabendo que eram vendidos sem prescrição, *sem* receita. Então, me proibiu de tomá-los e me mandou de volta para a reabilitação.

Ele ditava quando eu saía e para onde ia. Ou seja, não pude ver meus filhos por um mês inteiro. Meu único consolo era saber que isso duraria apenas por um mês e pronto.

O lugar que ele escolheu para mim ficava em Malibu. Naquele mês, durante horas por dia, fazíamos boxe e outros exercícios do lado de fora porque não tinha academia.

Muitas pessoas ali tinham um grau de vício em drogas muito alto. Eu tinha medo de estar ali. Ao menos, podia ter um segurança com quem eu almoçava todos os dias.

Era difícil aceitar que meu pai estava se mostrando como um cara incrível e um avô devoto enquanto eu era posta de lado, com ele me colocando contra a minha vontade em um lugar com viciados em crack e heroína. Sim — ele foi horrível.

Quando saí de lá, comecei a fazer shows novamente em Vegas como se nada tivesse acontecido. Isso porque meu pai havia me dito que eu tinha que voltar, e também porque eu ainda estava sendo legal, procurando agradar, desesperada para fazer a coisa certa e ser uma boa menina.

Não importa o que eu fizesse, meu pai estava lá me observando. Eu não podia dirigir um carro. Todo mundo que entrava no meu trailer tinha que assinar um documento renunciando direitos. Tudo era tão, tão *seguro* — tão seguro que eu sequer conseguia respirar.

E não importavam as dietas ou os exercícios que eu fazia, meu pai sempre me dizia que eu estava gorda. Ele me colocou em uma dieta restritiva. A ironia era que nós tínhamos um mordomo — uma extravagância — e eu implorava a ele por comida de verdade. "Senhor", eu implorava, "por gentileza, vê um hambúrguer ou um sorvete escondido para mim?"

"Senhorita, sinto muito", ele respondia. "Tenho ordens específicas de seu pai."

Então, por dois anos, comi apenas frango e vegetais enlatados.

Dois anos é tempo demais para você ficar sem comer o que deseja, especialmente quando seu corpo, seu trabalho e sua alma estão correndo atrás do dinheiro e sustenta a todos. Dois anos pedindo batatas fritas e tendo não como resposta. Eu achei isso tão degradante.

Uma dieta restritiva imposta por você mesma já é por si muito ruim. Mas quando alguém te impede de comer uma comida que você deseja, tudo fica pior. Era como se meu corpo não fosse mais meu. Ia para a academia e ficava tão distraída com esse treinador me dizendo para fazer exercícios, eu me sentia fria por dentro. Sentia medo. Para ser honesta, me sentia extremamente infeliz.

E nada funcionava. A dieta dava resultados opostos ao que meu pai esperava. Ganhei peso. Mesmo que não estivesse comendo muito, ele me fazia sentir tão feia e como se nunca estivesse sendo boa o suficiente. Talvez isso tenha acontecido por causa da força dos pensamentos: você se torna aquilo que pensa. Eu estava tão desanimada e cansada por tudo que estava acontecendo que simplesmente me rendi. Minha mãe parecia concordar com o plano do meu pai para mim.

Sempre foi inacreditável a quantidade de pessoas que se sentiam confortáveis opinando sobre o meu corpo. Começou quando eu era muito jovem. Fossem estranhos da mídia ou de dentro da minha própria família, as pessoas pareciam ver o meu corpo como propriedade pública: algo que podiam tomar conta, controlar, criticar ou usar como munição. Meu corpo teve força o suficiente para carregar duas crianças e foi ágil o bastante para executar todos os movimentos das coreografias de modo perfeito no palco. E, agora, eu estava assim, contando cada caloria para continuarem ganhando dinheiro com o meu corpo.

Ninguém mais parecia achar ultrajante que meu pai determinasse todas essas regras para mim e depois saísse para beber uísque com Coca-Cola. Minhas amigas frequentavam e faziam as unhas em spas e bebiam champanhe chique. Eu nunca tive permissão para entrar em spas. Minha família ficava em Destin, uma linda cidade litorânea na Flórida, numa casa que comprei para eles em um condomínio absurdamente maravilhoso, e faziam refeições maravilhosas todas as noites enquanto eu passava fome e trabalhava.

Enquanto isso, minha irmã torcia o nariz para todos os presentes que eu dava para a família.

Um dia, liguei para minha mãe na Louisiana e disse: "O que você vai fazer neste fim de semana?".

"Ah, eu e as garotas vamos para Destin amanhã", ela respondeu.

Jamie Lynn tinha dito tantas vezes que nunca esteve lá, que era mais uma das coisas ridículas que comprei para a família e ela nunca quis e, no fim das contas, minha mãe ia para lá todo fim de semana com as duas filhas da minha irmã.

Eu adorava comprar carros e casas para a família. Mas chegou a um ponto em que eles começaram a achar que seria sempre assim, e a família não se deu conta de que tudo isso só foi possível porque eu sou uma artista. E por causa da forma como eles me trataram durante anos, perdi a minha criatividade.

Eu ganhava uma mesada de cerca de dois mil dólares por semana. Se quisesse comprar um tênis que meus curadores achavam que eu não precisava, não poderia comprar. E isso acontecia mesmo eu tendo feito 248 shows para mais de 900 mil ingressos em Vegas. Cada show rendia centenas de milhares de dólares.

Em uma das poucas noites que pude sair com um amigo e outras pessoas, dentre as quais meus dançarinos, para jantar, tentei pagar para todo mundo. A conta ficou em cerca de mil dólares porque o grupo era imenso, mas eu queria fazer isso por eles, era importante para mim que eles soubessem quão agradecida eu estava por todo o esforço que tinham feito. Meu cartão foi recusado. Eu não tinha dinheiro o suficiente na conta da "mesada" para poder pagar.

36

Uma coisa que me deu consolo e esperança durante o tempo em que estive em Las Vegas foi ensinar dança para crianças em um estúdio, uma vez por mês, e eu amava fazer isso. Dei aulas para uma turma de quarenta alunos. De volta a Los Angeles, perto de minha casa, eu dava aulas a cada dois meses.

Essa era uma das coisas mais divertidas na minha vida. Era simplesmente incrível estar em uma sala com crianças, sem julgamentos. Na curatela, as pessoas o tempo todo julgavam tudo que eu fazia. A alegria e a confiança daquelas crianças que eu ensinava — cujas idades variavam entre cinco e doze anos — eram contagiantes. A energia delas é tão doce. Elas querem aprender. Eu me curava plenamente estando cercada por crianças.

Um dia, fiz um movimento e, sem querer, com a mão, acertei uma menininha na cabeça.

"Meu amor, me perdoe", eu disse.

Me senti tão mal que fiquei de joelhos na frente dela. Tirei o anel do meu dedo, um dos meus favoritos, e dei para ela enquanto implorava pelo seu perdão.

"Senhorita Britney, está tudo bem", ela respondeu. "Você não me machucou."

Eu queria fazer de tudo ao meu alcance para que ela soubesse que me importava se ela estava sentindo dor e que eu faria o que fosse necessário para compensá-la.

De joelhos no chão do estúdio e olhando para ela, pensei: *Espere aí. Por que as pessoas responsáveis — legalmente — pelos meus cuidados não demonstram metade do interesse em meu bem-estar como eu estou fazendo aqui com esta menininha?*

Decidi reforçar meu desejo de terminar a curatela. Fui à corte em 2014 e mencionei o alcoolismo e o comportamento errático do meu pai, pedindo que fizessem um teste de drogas nele. Afinal, ele estava controlando meu dinheiro e minha vida. Mas meu caso não foi a lugar nenhum. O juiz simplesmente não deu bola.

Em seguida, comecei a agir como uma espiã para conseguir meu próprio advogado. Cheguei a mencionar a curatela em um talk show em 2016, mas, de alguma forma, essa parte da entrevista não foi ao ar. *Sei.* Interessante.

A sensação de estar presa contribuiu para o colapso da minha vida romântica. Depois de uma briga estúpida, Charlie e eu ficamos com nossos egos feridos e paramos de nos falar. Foi algo idiota. Eu não conseguia ir falar com ele e ele era orgulhoso demais para falar comigo.

Foi quando comecei a trabalhar com dois grandes compositores, Julia Michaels e Justin Tranter. Nós sentamos e escrevemos tudo juntos. Eu estava apaixonada por esse processo. Foi a única coisa a que me dediquei de coração nos treze anos de curatela.

Dei duro nas músicas, o que me deixou autoconfiante. Sabe quando você é boa em algo e pode sentir isso? Você começa a fazer algo e pensa: *Dou conta disso?* Escrever aquele álbum me deu minha confiança de volta.

Quando finalizei o trabalho, toquei o álbum para os meus filhos ouvirem.

"Qual deve ser o nome do álbum?", perguntei. Meus filhos são espertos demais em relação à música.

"*Glory*, só isso", Sean Preston disse.

E assim eu fiz. Ver meus filhos orgulhosos daquele álbum significou muito para mim — e pensei: *Também estou orgulhosa dele!* Era algo que eu não sentia havia muito tempo.

Lancei o clipe de "Make Me" e participei do VMA de 2016 para me apresentar desde a primeira vez desde 2007.

Desde a primeira vez que eu vi Hesam Asghari no set para gravar o clipe de "Slumber Party", soube que o queria imediatamente na minha vida. Eu me apaixonei por ele na mesma hora. A química entre nós no começo era insana. Não conseguíamos nos desgrudar. Ele me chamava de leoa.

Na mesma hora, os tabloides começaram a dizer que ele estava me traindo. A gente estava junto havia duas semanas! Nós continuamos juntos. Comecei a sentir a luz dentro de mim voltar a brilhar.

Então, meu pai decidiu me mandar para tratamento outra vez porque eu dei um jeito de conseguir meus suplementos energéticos. Ele achou que eu tinha um problema, mas se mostrou misericordioso e disse que eu poderia ser uma paciente sem precisar ficar internada, desde que eu fosse quatro vezes por semana ao Alcoólicos Anônimos.

Inicialmente, eu não quis, mas as mulheres que conheci ali começaram a me inspirar. Eu ouvia todas elas contando suas histórias e pensava: *Essas mulheres são brilhantes.* As histórias delas, na verdade, eram extremamente profundas. Senti uma conexão humana nesses encontros que nunca tive em nenhum outro lugar em minha vida. Então, no começo, realmente curti. Mas algumas das meninas nem sempre apareciam. Elas podiam escolher as reuniões às quais gostariam de ir. Eu não tinha esse poder de escolha. Amigos que conheci lá iam apenas duas vezes por semana, ou então iam pela manhã um dia e à noite no outro. Eu não podia fazer o mesmo.

Eu tinha que ir aos mesmos encontros toda semana, não importava o que acontecesse.

Depois de uma exaustiva sequência de shows, voltei para casa e encontrei meus filhos juntos com minha assistente, minha mãe e meu pai.

"Hora do encontro", meu pai disse.

"Tem jeito de eu ficar em casa agora e assistir a um filme com os meninos? Eu nunca perdi um encontro", falei.

Nunca assisti um filme com os meus filhos na minha casa em Vegas. Pensei que podíamos fazer pipoca e passar um tempo maravilhoso juntos.

"Não, você precisa ir", ele respondeu.

Olhei para a minha mãe, esperando que me apoiasse, mas ela virou o rosto.

Naquele momento, eu comecei a sentir que estava num culto e que meu pai era o líder. Eles me tratavam como se eu estivesse em dívida com ele.

Mas eu me comportava tão bem, pensei, considerando o quanto havia me esforçado nos shows. *Não, eu não me saí bem, fui ótima.* Seria algo que constantemente passaria pela minha cabeça, sem parar, pelos próximos anos quando eu pensava que não apenas tinha atendido, mas superado, as expectativas impostas a mim — e como era injusto que eu ainda não estivesse livre.

Eu me esforcei tanto e cumpri a agenda imposta a mim, basicamente quatro semanas disponíveis, quatro semanas não. Quando estava disponível, fazia três shows com duas horas de duração por semana. E, nessa alternância, também cumpri as outras determinações: fui aos encontros do AA, duas horas de terapia e três horas de academia por semana, além dos *meet&greet* com os fãs e três shows. Eu estava exaurida. E queria controlar o meu destino.

Uma cabeleireira deu uma olhada na minha agenda e disse: "Meu bem, o que você está fazendo?". Ela tinha duas filhas pequenas e era uma pessoa muito maternal. Eu gostava muito dela.

"Você acha um exagero?", perguntei.

"Acho que é mais do que exagero", ela respondeu, "isso é insano".

Ela se aproximou de mim como se fosse me contar um segredo. "Olha", ela disse, "para ser criativa, você precisa ter tempo para se divertir em sua agenda. Isso vai te guiar para que você possa ter tempo para si mesma. Sei lá, que seja para ficar olhando para a parede, se você quiser. As pessoas *precisam* disso".

O que ela disse deve ter chegado aos ouvidos do meu pai, porque, no dia seguinte, outra pessoa estava cuidando do meu cabelo.

Eu nunca mais vi aquela cabeleireira de novo.

37

As artistas mulheres sempre se destacam pelo cabelo. É realmente a única coisa que os caras querem ver. Eles amam ver um cabelo comprido em movimento. Eles desejam que você *bata cabelo*. Se o seu cabelo estiver sendo balançado, acham que você está se divertindo.

Nos momentos mais humilhantes da residência em Las Vegas, usei perucas apertadíssimas e dancei de um jeito sem mover um fio de cabelo na minha cabeça. Todo mundo que estava ganhando dinheiro às minhas custas queria que eu movimentasse meu cabelo e eu sabia disso — então fiz de tudo para não satisfazê-los.

Quando me lembro disso, percebo o quanto me contive no palco para tentar punir as pessoas que me mantinham presa, e com isso acabei punindo todos — inclusive meus fãs leais, inclusive eu mesma. Mas agora eu sei por que vivi nesse estado de dormência ao longo dos últimos treze anos. Eu estava traumatizada.

Ao me conter no palco, eu estava tentando me rebelar de alguma forma, mesmo que apenas eu soubesse que aquilo acontecia. E, dessa forma, não fiquei jogando meu cabelo de um lado para o outro, ou fiquei flertando. Dancei, cantei as notas, mas não coloquei minha alma nas coisas que fiz como no passado.

Diminuir a minha energia no palco foi a minha forma de desacelerar a máquina.

Como artista, não me sentia capaz de alcançar a liberdade que eu tinha antes. E isso que nós, artistas, temos — a liberdade de sermos quem somos e fazer o que fazemos. Eu não tinha essa liberdade sob a curatela. Eu queria ser uma mulher no mundo. Sob a curatela, não podia ser uma mulher de forma nenhuma.

Era diferente, porém, com *Glory*. À medida que os singles de *Glory* começaram a tocar por aí, aos poucos fui me entusiasmando quanto às minhas apresentações. Voltei a usar saltos altos. Quando não estava me esforçando e apenas me impunha no palco, me sentia muito poderosa. E foi quando pude realmente sentir o público me deixando feliz.

Ao promover *Glory*, voltei a me sentir melhor comigo mesma. No terceiro ano vivendo em Vegas, um pouco da minha paixão estava voltando. Comecei a curtir o encantamento de me apresentar na Cidade do Pecado todas as noites e a espontaneidade de me sentir viva em frente ao público. Mesmo que eu não conseguisse dar o meu melhor, várias partes dentro de mim começaram a despertar outra vez. Eu fui capaz de restabelecer a conexão entre artista e público.

Eu tinha dificuldades em explicar para as pessoas que nunca tinham estado no palco como era sentir a conexão entre seu corpo e o de outras pessoas ao seu redor. A única metáfora que realmente funciona é a da eletricidade. Você se sente *elétrica*. A energia sai de você e vai para a multidão e então volta para você em um *looping* contínuo. Por muito tempo, funcionei no piloto automático: a única corrente que eu podia acessar era qualquer coisa dentro de mim que me mantivesse em movimento.

Aos poucos, voltei a acreditar nas minhas habilidades novamente. Por um tempo, mantive isso em segredo. Da mesma forma que eu ia para os meus sonhos para fugir do caos dos meus pais quando eu era pequena, em Las Vegas, já adulta e com muito menos liberdade do que quando era criança, escapei para um novo sonho — estar livre da minha família e voltar a ser a artista que eu sabia que existia em mim.

Tudo começou a parecer possível. Hesam e eu nos aproximamos tanto que começamos a falar sobre ter um filho juntos. Mas eu já tinha entrado nos trinta, então sabia que o tempo estava correndo.

No início da curatela, eu me senti sobrecarregada com as consultas médicas. Médicos e médicos e médicos — provavelmente doze por semana — vinham até a minha casa. E, ainda assim, meu pai não permitia que eu fosse até um médico quando pedi para agendar a retirada do DIU.

Quando estava sob a curatela, tudo era controlado, com seguranças em todos os lugares. Minha vida inteira mudou de uma forma que poderia ser fisicamente mais segura para mim, porém foi absolutamente horrível para eu sentir alegria e ter criatividade. Muitas pessoas me disseram: "Ah, sua vida está salva!". Mas isso não era verdade. Tudo depende da forma como você observa a situação. Trata-se de perspectiva. Minha música era a minha vida, e a curatela foi mortal para ela; e isso aniquilou minha alma.

Antes da curatela, eu entrava e saía de estúdios de gravação. Durante a curatela, um grupo de pessoas monitorava quando eu ia usar o banheiro no estúdio. Não estou brincando.

Eu li depois da curatela que meu pai e, principalmente a empresa de Robin e Lou Taylor, a Tri Star, estiveram envolvidos com a empresa de segurança que eles contrataram, a Black Box, no monitoramento e na gravação de ligações e mensagens de texto que eu fazia e recebia em meu celular, incluindo mensagens de texto particulares com meu namorado, meu advogado na época e meus próprios filhos, e pior, meu pai até mandou colocar um aparelho de escuta na minha casa. Na minha própria casa. Tudo isso fazia parte do controle deles.

Saí de casa na adolescência porque minha vida familiar era terrível. Naquele tempo, às quatro da manhã, quando eu ia até a sala gritar "Cale a boca, mamãe!", enquanto meu pai estava bêbado e desmaiado no sofá — aquele tempo voltaria para mim, às quatro da manhã, quando eu acordava e olhava para o teto pensando como essas pessoas tomaram o controle outra vez.

E, nesse momento silencioso no meio da noite, eu jurei que faria tudo que pudesse para escapar.

38

Naquele terceiro ano vivendo em Vegas, senti algo dentro de mim que não sentia, realmente, havia muito, muito tempo. Me senti *forte*. Eu sabia que tinha que fazer algo.

Uma vez que voltei aos poucos a ser eu mesma, meu corpo, meu coração, minha sensualidade e meu eu espiritual não poderiam suportar a curatela por mais tempo. Chegou a um ponto em que meu pequeno coração disse: *Não vou aguentar mais isso*.

Por muito tempo, meus pais me convenceram de que eu era a má, a louca, e isso os favoreceu totalmente. Isso feriu meu espírito. Eles apagaram a minha luz. Eu fui diminuída por uma década. Mas, por dentro, eu estava gritando para toda essa baboseira deles. Vocês precisam entender o desamparo que eu sentia — desamparo e raiva.

Depois dos shows, eu ficava tão brava por ver minha família bebendo e se divertindo enquanto eu não podia sequer dar um golinho em um uísque com Coca-Cola. Aos olhos do público, eu sabia que parecia ser a mesma estrela do palco — eu tinha pernas lindas e estava de salto alto —, mas por que raios eu não poderia pecar na Cidade do Pecado?

À medida que fui me fortalecendo e entrei em uma nova fase de minha feminilidade, comecei a procurar exemplos de como exercer o poder de uma forma positiva. Reese Witherspoon foi um grande exemplo para mim. Ela é meiga e muito legal e também muito *inteligente*.

A partir do momento que você começa a se ver dessa forma — não apenas como alguém que existe para deixar todos felizes, mas alguém que merece que seus desejos sejam reconhecidos — isso muda tudo. Quando comecei a pensar em tudo que eu poderia ser, como Reese, alguém que era legal e forte ao mesmo tempo, isso mudou a perspectiva de quem eu era.

Se ninguém está acostumado com você sendo firme, eles ficam muito assustados quando você começa a falar o que pensa. Eu sentia que estava me transformando no pior pesadelo deles. Eu era uma rainha agora, e começava a falar. Eu os imaginei se curvando para mim. Senti meu poder voltando.

Eu soube como me conduzir. Me fortaleci mesmo vivendo aquela rotina. De fato, eu não tinha outra opção além de ser forte e acho que o público percebeu isso. Exigir respeito significa muita coisa. Muda tudo. E então, quando meus curadores tentaram me dizer, mais uma vez, que seria estupidez se eu recusasse fazer uma apresentação ou se tentasse encontrar um jeito de ter mais tempo de folga, sentia muita revolta. Pensava: *Se vocês acham que vão conseguir me enganar com essa ideia de me fazer sentir culpa por recusar, não vou mais cair nisso, não.*

★ ★ ★

O fim da residência foi marcado para 31 de dezembro de 2017. Eu mal podia esperar. Foi bom porque eu estava tão enjoada de fazer o mesmo show semana após semana durante anos. Implorei muito por um remix ou uma coreografia nova — *qualquer coisa* para quebrar a monotonia.

Comecei a perder a alegria de me apresentar, aquele amor visceral para cantar que eu tinha desde pequena. Agora, outras pessoas estavam me dizendo o que cantar e quando cantar. Ninguém parecia se importar com o que eu queria. A mensagem que continuei recebendo era de que eles importavam; eu, não. Eu estava ali para me apresentar e fazer dinheiro para eles.

Era tanto desperdício. E, como uma artista que sempre teve tanto orgulho de sua musicalidade, não posso deixar de enfatizar o quanto fiquei brava por eles nem me deixarem mudar meu show. Tínhamos semanas entre cada série de shows em Las Vegas. Tanto tempo fodido foi desperdiçado. Eu queria remixar minhas músicas para meus fãs e dar a eles algo novo e empolgante. Quando eu queria tocar minhas músicas favoritas, como "Change Your Mind" ou "Get Naked", não me deixavam. Parecia que eles queriam me envergonhar em vez de me deixar dar aos meus fãs a melhor performance possível todas as noites, o que eles merecem. Em vez disso, eu tinha que fazer o mesmo show semana após semana, as mesmas sequências, as mesmas músicas, os mesmos arranjos. Eu estava fazendo esse mesmo show havia um longo tempo. Estava desesperada para mudar, para dar aos meus maravilhosos e leais fãs uma experiência nova e eletrizante. Mas tudo o que ouvi foi "não".

Era tão preguiçoso que chegava a ser esquisito. Eu me preocupei com o que os fãs pensariam de mim. Gostaria de poder dizer que eu queria poder dar muito mais. Eu adorava ficar em estúdios por horas a fio e fazer meus próprios remixes com um engenheiro de som. Mas eles disseram: "Não podemos colocar remixes por causa da duração do show. Teríamos que refazer tudo". Eu disse: "Refaça!". Sou conhecida por trazer coisas novas, mas eles sempre disseram não.

Quando eu os pressionei, o melhor que puderam me oferecer, disseram, era tocar uma de minhas novas músicas enquanto eu estava me trocando.

Eles agiram como se estivessem me fazendo um imenso favor ao tocar a minha música nova favorita enquanto eu estava no camarim trocando de roupa freneticamente.

Era vergonhoso porque conheço a indústria musical. Eu sabia que era totalmente possível mudarmos o show. Meu pai estava no comando e essa não era a sua prioridade. O que significava que as pessoas que poderiam tornar isso possível não fizeram nada. Cantar versões antigas fez meu corpo se sentir velho. Eu desejava novas músicas, novo movimento. Sinto agora que posso tê-los assustado por eu realmente ser a estrela. Em vez disso, meu pai estava no comando da estrela. Eu.

Quando gravei os clipes dos singles de *Glory*, eu me senti leve e livre. *Glory* me fez lembrar de como era apresentar novo material e de como eu precisava daquilo.

Quando fui informada de que receberia o primeiro prêmio Radio Disney Icon Award do ano logo depois que *Glory* foi lançado, pensei: *Que demais! Vou levar os meninos e usar um lindo vestido preto e vai ser muito divertido.*

Bem, enquanto eu estava sentada, na plateia, assistindo a um medley de minhas canções, senti tanta coisa. Na hora em que Jamie Lynn fez uma aparição-surpresa para cantar um pedacinho de "Till the World Ends" e, então, entregar meu prêmio, eu estava muito emocionada.

O tempo todo eu estava assistindo ao show, me lembrando de uma apresentação especial que fiz para o lançamento de *In the Zone*. Foi um especial remixado para a ABC. Eu havia ensaiado por uma semana e cantei várias músicas novas. Eles me fotografaram de maneira tão bela. Me senti como uma criança. Francamente, faz parte dos meus melhores trabalhos. Havia uma vibe meio Cabaret, aquela paixão fulminante de "...Baby One More Time" e então para "Everytime" usei um lindo vestido branco. Tudo foi muito, muito maravilhoso. Foi inacreditável estar no palco durante aquela fase da minha carreira, livre e cantando minha música, do meu jeito, com muito controle criativo.

Eu estava lá para receber o Icon Award do Radio Disney Music Awards, me sentia honrada com as apresentações, mas estava furiosa. Ali estavam três cantoras e minha irmã fazendo novos arranjos — algo que tinha implorado tanto durante treze anos — e se divertindo com minhas músicas de uma maneira que eu não havia me divertido em centenas de apresentações, e eu estava ali, tendo que sorrir.

39

Antes da curatela, Cade, meu amigo e agente, me ligou para dizer que iríamos fazer uma road trip. Eu já estava no carro antes mesmo de ele terminar de me contar para onde estávamos indo. Se eu quisesse aumentar o volume em um show meu, educadamente pedia para que o cara do som fizesse isso. Se você me enchesse o saco, todo mundo ficava sabendo. Eu era meio difícil de lidar. Mas em Vegas, eu apenas sorria e concordava e fazia o mesmo show repetidas vezes como uma marionete.

A única coisa que me fazia seguir em frente era saber que eu tinha duas férias com meus filhos, como em todos os anos. Mas, no ano em que *Glory* foi lançado, eu saí em turnê, o que significou que eu não podia estar de férias. Tive de levá-los na turnê comigo, o que não foi divertido para ninguém. Então, no ano seguinte, eu realmente estava precisando daquelas férias. Antes de um show, em uma noite, numa área tipo uma coxia, minha equipe se aproximou e eu gesticulei para eles, dizendo: "Só queria lembrá-los de que eu realmente preciso de férias neste ano".

Seguir uma tradição é muito importante para mim. O que eu e meus filhos mais gostávamos de fazer era ir a Maui, entrar em um barco e navegar mar adentro. É para minha saúde mental, honestamente.

"Se houver uma grande quantia de dinheiro", disse minha equipe, "vamos fazer, tipo, duas turnês, e então você pode voltar e tirar o verão inteiro de férias."

"Ótimo! Estamos combinados e de acordo", respondi.

Alguns meses se passaram. A turnê em Vegas finalmente estava chegando ao fim em dezembro de 2017. Eu estava tão aliviada. Eu fiz centenas de shows.

Enquanto eu estava em meu camarim, trocando de roupas no breve intervalo de um show, alguém da minha equipe entrou e disse: "Ei, então, né, você vai continuar os shows da turnê deste ano, mesmo depois de terminar Vegas. Não podemos simplesmente acabar em Vegas. Precisamos terminar fazendo uma turnê neste verão".

"Esse não foi o acordo", respondi, "eu te disse, vou levar meus filhos para Maui."

O tom da conversa aumentou rápido, o que sempre acontecia quando eu tentava negociar. Finalmente, o membro da equipe disse: "Se você não sair em turnê, vai acabar diante do juiz, porque você tem um contrato para cumprir". Eu me dei conta: eles estavam me ameaçando. E sabiam os gatilhos que eu tinha só de me imaginar diante do juiz.

Depois de tudo, me acalmei. Comecei a pensar que seriam apenas algumas semanas, não seria tão ruim assim. Então, eu poderia voltar e ainda curtir um pouco do verão. Nós poderíamos ir para Maui depois.

No final, esse pensamento foi exageradamente otimista. A turnê foi um inferno. Eu sabia que os dançarinos sentiam o mesmo. Nós ficamos confinados por mais tempo do que os termos estabelecidos pelo meu pai. Se eu quisesse deixar o quarto, precisava avisar a equipe de segurança com duas horas de antecedência.

Para piorar a situação, minha criatividade estava sufocada, eu ainda fazia as mesmas velhas coisas. Eles ainda não me davam a liberdade de refazer minhas músicas e mudar o show. Poderíamos ter mudado o show para algo bom, novo, que trouxesse frescor para o público, para mim e para os dançarinos. Esse foi o único privilégio que eu pedi e, mais uma vez, eles negaram. Porque se eu realmente assumisse o controle do meu show, isso poderia despertar as pessoas para o fato de que talvez eu não precisasse do meu pai como meu curador. Sinto que ele secretamente gostava de que eu me sentisse inferior. Isso lhe dava poder.

Quando finalmente cheguei em casa, chorei quando vi meus cachorros — isso mostra como eu havia sentido a falta deles. Comecei a planejar uma viagem com os meninos para tentar recuperar o tempo perdido. Minha equipe disse: "Vamos te dar três semanas de folga e, então, vamos começar os ensaios para o novo show em Vegas".

"Três semanas? Eu achei que teria o verão inteiro!", respondi.

Odiei essa turnê. Na situação em que eu estava, parecia que o fim de semana nunca viria.

40

Eu já conseguia ouvir os gritos. Centenas de pessoas amontoadas do lado de fora. Era um dia de outubro em 2018, e havia uma multidão na frente do novo cassino Park MGM em Las Vegas. Os superfãs estavam com roupas combinando e agitando bandeiras com um "B" em letras garrafais. Os dançarinos no palco usavam camisetas com o meu nome, BRITNEY, nelas. Os patrocinadores faziam transmissão ao vivo, agitando mais ainda as pessoas. Luzes de lasers brilhavam. Uma tela gigante mostrava cenas dos meus vídeos. A música dançante ecoava no ambiente. Um desfile passou com as pessoas cantando aos gritos letras como: "Minha solidão está me matando!".

As luzes se apagaram.

Mario Lopez, o apresentador do evento, disse ao microfone: "Estamos aqui para dar as boas-vindas à nova Rainha de Vegas…".

Uma música dramática começou a tocar — um rife de "Toxic". Um efeito especial de luzes dançava freneticamente sobre o Park MGM fazendo parecer que o prédio estava pulsando. Então teve início um medley com outras músicas, com projeções de um foguete, um helicóptero, a parte de cima de um circo e uma cobra no jardim do Éden. Fogos de artifício estouravam ao redor do palco! Eu surgi, de dentro do palco, em um elevador hidráulico, acenando e sorrindo em meu vestido preto justíssimo com estrelas bordadas e borlas. Meu cabelo estava longo e loiro.

"... Senhoras e senhores", Mario Lopez continuou, "Britney Spears!".

Desci as escadas em meu salto alto ao som de "Work Bitch" e dei alguns autógrafos para os fãs. Mas então fiz algo inesperado.

Passei direto pelas câmeras.

Continuei andando até chegar no meu SUV e fui embora.

Não disse nada. Não cantei uma música. Se você assistir a esse vídeo, provavelmente vai se perguntar: *O que aconteceu?*.

O que você não viu é que meu pai e sua equipe estavam tentando me forçar a fazer o anúncio do show. Eu tinha falado que não queria anunciar porque, como havia dito por meses, *eu não queria fazer isso*.

Quando cantei a música "Overprotected" alguns anos atrás, não fazia ideia do significado de "protegida demais". Eu aprenderia isso rapidamente, pois uma vez que tinha deixado claro que não continuaria fazendo os shows em Vegas, minha família me fez desaparecer.

41

À medida que as férias se aproximavam, estava me sentindo muito bem. Tirando o medo de que meu pai estava armando algo, me sentia forte e inspirada pelas mulheres que eu conheci no AA. Além de serem brilhantes, elas eram tão centradas, aprendi muito com elas sobre como ser uma mulher adulta navegando no mundo com coragem e honestidade.

No meu aniversário, Hesam me levou a um lugar especial. Comecei a traçar planos para as férias, mas meu pai insistia que ele ia ficar com os meninos no Natal. Se quisesse vê-los, eu teria que ver meu pai também. Quando insisti, meu pai disse: "Os meninos não querem ficar com você neste ano. Eles virão para a Louisiana ficar comigo e sua mãe. Ponto-final".

"Isso é novidade para mim, mas se eles preferem estar na Louisiana essa semana, acho que tá tudo bem."

Os shows em Vegas ainda não tinham sido cancelados.

Estava contratando dançarinos novos e seguindo a agenda. Um dia, no ensaio, estava com todos os dançarinos — antigos e novos — quando um deles, que havia trabalhado durante as apresentações nos últimos quatro anos, fez um movimento para nós. Estremeci ao ver — era realmente desafiador. "Eu não quero fazê-lo", disse, "é muito difícil".

Não parecia nada de mais para mim, mas, de repente, minha equipe e os diretores entraram em uma sala e trancaram a porta. Tive a sensação de ter feito algo terrivelmente errado, mas eu não entendi a importância de não querer fazer um movimento na minha rotina. Assim, eu era quase cinco anos mais velha do que quando a primeira residência havia começado, meu corpo tinha mudado também. Que diferença faria se mudássemos a coreografia?

Estávamos todos nos divertindo, com certeza. Sofro de ansiedade social, então, se há algo desconfortável no ar, eu detecto isso rapidamente. Mas aquele dia parecia bom. Eu estava rindo e conversando com os dançarinos. Alguns novatos estavam fazendo mortais para trás e depois saltos para a frente. Eles eram incríveis! Eu perguntei se podia aprender e um deles me cedeu o lugar. Tudo isso para dizer: estávamos nos divertindo e nos comunicando. Não tinha nada de errado. Mas o jeito que a equipe se portou me deixou preocupada de que estariam tramando algo.

Um dia depois, na terapia, meu médico me confrontou.

"Encontramos suplementos energéticos em sua bolsa", ele disse. Os suplementos energéticos me deram uma sensação de confiança e energia, e você não precisava de receita para comprá-los. Ele sabia que eu os estava levando durante meus shows em Las Vegas, mas agora decidiu fazer um grande alarde sobre isso. "Achamos que você está fazendo coisas muito piores pelas nossas costas", disse ele. "E nós não achamos que está indo bem nos ensaios. Você está dando trabalho a todos."

"Isso é uma piada?", perguntei.

Na mesma hora, fiquei furiosa. Eu estava me esforçando tanto. Sempre fui muito ética no trabalho.

"Vamos te mandar para um lugar", o terapeuta começou a dizer, "e antes de você ir, no feriado do Natal, uma mulher virá para fazer vários testes psicológicos em você."

Uma médica famosa — que eu tinha visto na TV e odiei na mesma hora — veio até a minha casa contra a minha vontade, me fez sentar e testou minhas habilidades cognitivas por horas.

Meu pai disse que a médica havia detectado várias alterações nos testes. "Ela disse que você falhou. Agora você precisa dar entrada em um lugar para cuidar de sua saúde mental. Tem algo de muito grave com você. Mas, não se preocupe, encontramos um pequeno local que faz reabilitação em Beverly Hills. Custará apenas 60 mil dólares por mês."

Enquanto eu juntava as minhas coisas, chorando, quis saber para quanto tempo eu deveria fazer as malas, quanto duraria minha estadia lá. Mas me disseram que não tinha como saber. "Talvez um mês. Talvez dois meses. Talvez três meses. Tudo vai depender do seu bom comportamento e do seu progresso." Esse programa era supostamente um "luxuoso" local de reabilitação que criou um plano especial para mim, assim eu ficaria sozinha e não precisaria interagir com outras pessoas.

"O que acontece se eu não for?", perguntei.

Meu pai respondeu que, se não fosse, então teria de me apresentar ao juiz e passaria vergonha. Ele disse: "Vamos fazer você parecer uma idiota de merda e, acredite em mim, você não vai ganhar. É melhor eu dizer a você para ir em vez de um juiz dizer a você".

Eu senti que era uma forma de chantagem e estavam querendo me confundir. De verdade, senti que eles estavam tentando me matar. Eu nunca havia enfrentado meu pai em todos aqueles anos; nunca tinha dito "não" a ninguém. Meu "não" naquela sala naquele dia realmente irritou meu pai.

Eu fui forçada a ir. Eles me encurralaram, e eu não tive escolha. *Se você não fizer isso, tal coisa vai acontecer com você, então, sugerimos que você aceite e supere isso.*

Porém, isso não aconteceu — eu não superei isso, é fato. Porque uma vez que eu estava lá, não podia sair, mesmo que eu continuasse implorando todos os dias.

Eles me mantiveram presa contra a minha vontade por meses.

42

Os médicos me separaram dos meus filhos e dos meus cachorros e me tiraram da minha casa. Eu não podia sair. Não podia dirigir um carro. Tive que fazer exames de sangue semanalmente. Não podia tomar banho sozinha. Não podia trancar a porta do meu quarto. Eu era vigiada até quando estava trocando de roupa. Eu tinha que ir dormir às nove da noite. Eles me supervisionavam enquanto eu via televisão, das oito às nove, na cama.

Todos os dias eu tinha que acordar às oito da manhã. Havia consultas intermináveis todos os dias.

Durante horas por dia, eu ficava sentada em uma cadeira, sendo forçada a fazer terapia. Nos pequenos intervalos entre um encontro e outro, eu olhava pela janela, observando os carros estacionarem, saírem, tantos carros trazendo diversos terapeutas e seguranças, médicos e enfermeiras. Eu acho que o que mais me prejudicou foi ver todas essas pessoas entrando e saindo enquanto eu era proibida de sair.

Me disseram que tudo que estava acontecendo era para o meu próprio bem. Mas eu me sentia abandonada naquele lugar. Enquanto todos continuavam dizendo que estavam lá para me ajudar, eu nunca entendi o que minha família queria de mim. Fiz tudo que deveria ter feito.

Meus filhos iam me visitar durante uma hora nos fins de semana. Mas se eu não fizesse o que me era dito para ser feito durante a semana, não poderia vê-los.

Cade foi uma das poucas pessoas que me ligou. Sempre me senti segura e, ao mesmo tempo, também sentia perigo com Cade. Com ele, eu tive a ligação via FaceTime mais engraçada possível. Ele estava em um hospital no Texas e me contou como foi picado por um escorpião em sua cama — *em sua cama*. A perna dele inchou e ficou do tamanho de uma bola de basquete, sem brincadeira.

"Você está falando sério?", perguntei, olhando para a perna inchada dele na tela do meu celular. Estava inacreditavelmente feio. Pensar no coitado do Cade com sua perna inchada me rendeu uma das maiores distrações diante de tudo com que eu tinha de lidar e sempre serei grata a ele e àquele escorpião texano.

Os terapeutas me faziam perguntas pelo que parecia horas, sete dias por semana.

Durante anos eu tomei Adderall, mas, no hospital, eles fizeram uma interrupção abrupta e me deram lítio, uma droga perigosa que eu não queria ou precisava e que causa lentidão e letargia. Eu perdi a noção de tempo e fiquei desorientada. Quando ingeria lítio, não sabia onde eu estava ou quem eu era às vezes. Meu cérebro não estava funcionando como antes. Não me esqueci de que essa era a droga que ministraram na internação da minha avó Jean, que mais tarde cometeu suicídio, em Mandeville.

Enquanto isso, minha equipe de segurança que estava comigo havia tanto tempo me tratava como se eu fosse uma criminosa.

Quando chegava a hora de tirar sangue, o rapaz que fazia o procedimento era cercado pela enfermeira, um segurança e minha assistente.

Eu era uma canibal? Havia assaltado um banco? Era um animal selvagem? Por que eu era sempre tratada como se estivesse prestes a queimar tudo e matar todos?

Eles auferiam a minha pressão arterial três vezes ao dia, como se eu fosse uma mulher de oitenta anos. E não tinham pressa. Me faziam sentar. Pegavam o medidor. Lentamente o colocavam. Lentamente bombeavam... três vezes ao dia. Para sentir que não estava louca, eu precisava me movimentar. Como dançarina, me movimentar era a minha vida. Eu prosperei com isso. Precisava e ansiava por aquele momento. Mas eles me mantinham sentada pelo que parecia séculos. Comecei a sentir como se estivesse sofrendo rituais de tortura.

Me sentia toda ansiosa, meus pés, meu coração, meu cérebro. Eu não conseguia gastar aquela energia.

Você sabe que está viva quando seu corpo se mexe. E isso era tudo o que eu queria. E eu não podia ter isso, o que significava que comecei a pensar se eu estaria metade morta. Eu me sentia *arruinada*.

Minha bunda aumentou de tamanho por ficar por tantas horas sentada na cadeira todos os dias — tanto que nenhum dos meus shorts servia mais em mim. Eu não reconhecia mais meu próprio corpo. Tinha pesadelos horríveis em que eu corria por uma floresta — eles pareciam muito reais. *Por favor, acorde; por favor, acorde; por favor, acorde — eu não quero que isso seja real, isso é apenas um sonho*, eu pensava.

Se eu estava ali para me curar, não estava surtindo efeito. Comecei a me imaginar como um pássaro sem asas. Quando você é criança, às vezes, não corre por aí com os braços esticados e sente o vento passando por eles? Não parece que você está voando? Era isso que eu queria sentir. Em vez disso, eu me sentia como se estivesse afundando dentro da terra, todos os dias.

Eu segui o programa sozinha por dois meses em Beverly Hills. Foi um inferno como se eu vivesse dentro do meu próprio filme de terror. Eu vejo filmes de terror. Já assisti a *Invocação do Mal*. Não tenho medo de mais nada depois desses meses em tratamento. De verdade, não tenho medo de mais nada.

Provavelmente, eu devo ser a mulher menos medrosa do mundo, mas isso não faz com que eu me sinta mais forte; me sinto triste. Eu não deveria ser tão forte. Aqueles meses me deixaram durona. Eu sinto saudade dos dias que vivi em Kentwood e era conhecida como a "baixinha petulante". O tempo que passei nesse tratamento tirou toda a minha petulância. De muitas maneiras, destruiu meu espírito.

Depois de dois meses no mesmo prédio, fui transferida para outro local, gerenciado pelas mesmas pessoas, e, nele, eu não estava sozinha. Mesmo que prefira ficar sozinha, depois de dois meses vivendo numa espécie de solitária e à base de lítio, honestamente, era muito melhor conviver com outros pacientes. Nós ficávamos juntos o dia inteiro. À noite, cada um ficava em seu próprio quarto individual — as portas faziam um estrondo quando fechavam.

Na minha primeira semana, um desses pacientes foi até o meu quarto e perguntou: "Por que está gritando alto assim?".

"Como? Não estou gritando", respondi.

"Todos aqui estão te ouvindo. Você está gritando alto demais."

Olhei em volta do meu quarto. "Eu nem estou ouvindo música."

Mais tarde, fiquei sabendo que ela, às vezes, ouvia coisas que as outras pessoas não ouviam, e isso me assustou.

Uma jovem muito bonita chegou e rapidamente se tornou popular. Parecia que estávamos no ensino médio, e ela era a líder de torcida e eu a nerd que ninguém ligava. Ela faltava a todos os encontros.

Muitas das pessoas eram extremamente doidas, mas eu gostei de quase todas. Uma garota fumava cigarros ultrafinos que eu nunca tinha visto antes. Ela era uma graça e os cigarros dela, também. Percebi que o pai dela sempre a visitava aos finais de semana. Por outro lado, a minha família havia me largado naquele lugar e seguiu tocando a vida.

"Reparei que você está olhando para os meus cigarros", a doce garota me disse um dia, "aposto que você quer um, não quer?".

Achei que ela nunca ia me perguntar.

"Sim", respondi.

Então, eu fumei meu primeiro cigarro Capri com ela e outras garotas.

Algumas pessoas ali tinham distúrbios alimentares e elas eram terrivelmente magras. Eu mesma não estava comendo muito. Entre o pouco que eu comia e o tanto de sangue que tiravam de mim, me surpreendia que ainda estivesse em pé.

Deus deve ter permanecido comigo durante aquele tempo. Naqueles três meses de confinamento, eu comecei a acreditar que meu pequeno coração, ou seja lá o que me fazia ser a Britney, não existisse mais dentro de mim. Algo muito maior me acompanhou, porque era demais para eu suportar sozinha.

Me lembro de que sobrevivi e penso: *Isso não fui eu, foi Deus.*

43

A parte mais difícil era que eu acreditava que, na frente dos médicos ou visitantes, devia fingir o tempo todo que estava bem. Se ficasse agitada, isso era tido como prova de que eu não estava melhorando. Se eu ficasse chateada e reclamasse, estava fora de controle e louca.

Isso me lembrava do que eu sempre ouvi a respeito da forma como eles testavam uma mulher para saber se ela era bruxa antigamente. Eles a jogavam no lago. Se flutuasse, ela era uma bruxa e era morta. Se afundasse, era inocente, e, que pena. Ela morreria de qualquer maneira, mas eu acho que eles perceberam que essa era uma boa forma de saber que tipo de pessoa ela foi em vida.

Depois de dois meses, liguei para o meu pai, implorando para ele me deixar voltar para casa.

Ele respondeu: "Sinto muito, a juíza precisa saber o que ela vai fazer com você. Depende dos médicos agora. Não consigo te ajudar de jeito nenhum. Te entreguei aos médicos e não posso te ajudar".

A parte estranha é que, antes de me colocarem naquele lugar, meu pai havia me enviado um colar de pérolas e um lindo cartão de Natal escrito à mão. Eu me perguntei: *Por que ele está fazendo isso? Quem é ele?*

O que mais me magoou foi que durante anos ele disse na frente das câmeras — seja quando eu fiz o vídeo "Work Bitch" ou quando a curatela começou e fizemos a Circus Tour — que era tudo por minha causa e por causa dos meninos.

"Essa é a minha garotinha!", ele costumava dizer em frente às câmeras. "Eu a amo demais." Eu estava trancada em um trailer com a lacaia esquisita da Lou, Robin, que eu passei a odiar, enquanto ele falava, para todo mundo ouvir, o pai incrível que ele era.

Mas, naquele momento, quando me recusei a fazer a residência em Vegas, quando eu não quis prolongar turnês, eu ainda era a sua amada garotinha?

Aparentemente não.

Mais tarde, um advogado me diria: "Seu pai poderia ter acabado com tudo isso. Ele poderia ter dito 'não' aos médicos, 'isso é demais, vamos deixar minha filha voltar para casa'". Mas ele não fez isso.

Eu liguei para a minha mãe e perguntei a ela por que todos agiam como se eu fosse perigosa.

"Bem, não sei, não sei, não sei...", foi a resposta dela.

Também mandei mensagem de texto para a minha irmã quando eu estava naquele lugar e pedi a ela para me tirar de lá.

"Pare de lutar contra isso", ela me respondeu. "Não há nada que você possa fazer a respeito, então pare de lutar."

Como o resto deles, ela continuou agindo como se eu fosse uma ameaça de alguma forma. Isso vai parecer loucura, mas vou repetir porque é a verdade: eu achei que eles fossem me matar.

Não entendi como Jamie Lynn e nosso pai conseguiram desenvolver um bom relacionamento. Ela sabia que eu a procurava pedindo ajuda e que ele estava me perseguindo. Eu achava que ela tinha que ficar do meu lado.

Uma amiga que me ajudava a trocar de roupa todas as noites no camarim do subsolo em meus shows de Las Vegas me disse tempos depois: "Britney, eu tive três ou quatro pesadelos quando você esteve internada. Eu acordava no meio da noite. Sonhava que você tinha se matado naquele lugar. E sonhei que Robin, aquela senhora que era sua assistente supostamente boazinha, me ligou e disse com prazer: 'Sim, ela morreu lá'." Minha amiga me disse que ficou preocupada comigo o tempo todo durante a minha internação.

Muitas semanas tinham se passado desde que havia sido internada, eu lutava para me manter com esperanças quando uma das enfermeiras, a única que parecia ser realmente de verdade, me chamou para ver algo no computador dela.

"Veja isto", ela disse.

Dei uma espiada na tela e tentei entender o que estava acontecendo ali. Eram mulheres em um talk show falando sobre mim e a curatela. Uma delas vestia uma camiseta com a hashtag #FreeBritney. A enfermeira ainda me mostrou trechos de outras coisas também — fãs dizendo que estavam tentando entender se eu estava presa contra a minha vontade, falando sobre como a minha música significava muito para eles e como eles odiavam imaginar que eu estava sofrendo naquele momento. Eles queriam me ajudar.

E, só por fazerem isso, eles me ajudaram. Todas as coisas que a enfermeira via todos no hospital também estavam vendo. O médico acabou percebendo que todas as pessoas do mundo inteiro estavam perguntando por que eu ainda estava em confinamento. Era notícia em toda a mídia.

    Da mesma forma que sei que posso sentir o que alguém está sentindo no Nebraska, acho que a minha conexão com meus fãs os ajudou, subconscientemente, a perceber que eu estava em perigo. Nós temos uma conexão, não importa onde estejamos. Mesmo se você estiver em uma cidade do outro lado do país ou do mundo, em algum nível, estaremos conectados. Meus fãs, mesmo que eu não tenha dito nada online sobre estar em confinamento — eles simplesmente *sabiam* disso.

    Ver todos eles marchando nas ruas e gritando #FreeBritney — foi a coisa mais incrível que já vi na minha vida. Sei que as algumas pessoas riram disso. Elas viam as camisetas cor-de-rosa com meu nome estampado e diziam: "Que tipo de causa é essa?".

    Mas se eles realmente soubessem pelo que eu passava e compreendessem a conexão que eu tenho com meus fãs, acho que não teriam dado risada. A verdade é esta: estava sendo mantida presa contra a minha vontade. E eu ansiava em saber se as pessoas se importavam se eu estava morta ou viva.

    O que temos além de nossas conexões uns com os outros? E qual ligação pode ser mais forte que a música? Todo mundo que se manifestou por minha causa me ajudou a sobreviver naquele ano difícil, e tudo que fizeram me ajudou a ter a minha liberdade de volta.

    Eu não acho que as pessoas saibam o que o movimento #FreeBritney significou para mim, especialmente no começo. Até o fim, quando as audiências com o juiz aconteciam, ver as pessoas lutando por mim significou demais. Mas, no início, aquilo me emocionou, porque eu não estava bem de jeito nenhum. E o fato de que meus amigos e meus fãs sentiram o que estava acontecendo e fizeram tudo por mim é algo que nunca conseguirei retribuir. Se você fez algo por mim quando eu mesma não podia, do fundo do meu coração, obrigada.

44

Quando, finalmente, voltei para minha casa, meus cachorros e meus filhos, eu estava em êxtase.

Adivinha quem quis me visitar na minha primeira semana de volta ao lar? Minha família.

"Estamos tão orgulhosos de você, Britney!", meu pai disse. "Você conseguiu! Agora todos nós queremos ficar aqui com você." A essa altura, conseguia entender qual era a do seu papo furado. Eu sabia que o que ele realmente queria dizer era: "Não vejo a hora de ver seu dinheiro — quero dizer, *você*!".

Então, eles vieram — meu pai, minha mãe e minha irmã com suas filhas, Maddie e Ivey.

Eu estava um caco. Ainda tomava lítio, o que deixava a minha noção de tempo realmente confusa. E eu estava com medo. Passou pela minha cabeça que eles só vieram me visitar para terminar o que começaram meses antes, para me matar de verdade. Se isso soa paranoico, considere todas as coisas pelas quais eu tinha passado até então — os meios que usaram para me enganar e me incapacitar.

Então, decidi entrar no jogo deles. *Se eu for legal com eles, eles não vão tentar me matar outra vez*, pensei.

Por três meses e meio, mal recebi um abraço de alguém. Choro quando me lembro disso, de como consegui ser tão forte.

Mas a minha família entrou dentro da minha casa como se nada tivesse acontecido. Como se eu não tivesse acabado de passar por um trauma quase insuperável naquele lugar.

"Ei, irmã, como você está?", Jamie Lynn perguntou, toda alegre.

Ela, as filhas e minha a mãe ficavam o tempo todo fazendo algo na cozinha. Jamie Lynn agendou várias participações em programas de TV para o período em que ficaria em Los Angeles. Meu pai a acompanhava a reuniões em Hollywood, e ela voltava falante e feliz.

"Como vocês estão, meninos?", ela gritou enquanto entrava na cozinha e via meus filhos.

Jamie Lynn realmente havia encontrado o brilho dela. E eu estava feliz por ela. Ao mesmo tempo, particularmente naquele momento, eu não queria ficar perto.

"Ah, meu Deus, tive uma ideia incrível para nós duas!", ela começou a dizer depois de voltar de outra reunião enquanto eu me encostava, quase em coma, no balcão da cozinha. "Preste atenção — um talk show de irmãs!" Toda vez que ela falava, mais uma ideia surgia. Um sitcom! Uma comédia romântica!

Ela falou pelo que pareceu horas enquanto eu olhava para o chão e ouvia. E a única frase ecoando na minha mente era: *Mas que porra está acontecendo aqui?*

Assim que a minha família foi embora da minha casa depois daquela visita horrorosa, comecei a perceber o que tinha acontecido.

E eles haviam me deixado cega de raiva. Estavam me punindo. Pelo quê? Por sustentá-los desde quando eu era criança?

Como consegui não me matar naquele lugar, dar fim à minha dor da mesma forma que se faz com um cavalo manco? Eu acredito que praticamente qualquer outra pessoa na minha situação teria feito isso.

Ao pensar em quão perto estive de fazer isso, eu choro. Então, algo aconteceu que me despertou do torpor em que eu estava.

Em agosto daquele ano, meu pai brigou com Sean Preston, com treze anos na época. Meu filho se trancou no quarto quando a briga acabou, e meu pai destruiu a porta do quarto para pegá-lo e dar um chacoalhão nele. Kevin fez um B.O. contra o meu pai, que foi proibido de ver meus filhos.

Eu sabia que precisava de coragem para lutar pela última vez. Já fazia tanto tempo que eu estava nessa estrada. Encontrar a fé e perdê-la de novo. Ser humilhada e me reerguer. Buscar a liberdade apenas para senti-la escapando das minhas mãos.

Se era forte o suficiente para sobreviver a tudo que passei, eu podia aproveitar a oportunidade e pedir mais um pouquinho para Deus. Eu ia pedir, com todas as forças do maldito sangue que corria nas minhas veias, o fim da curatela.

Porque não queria mais aquelas pessoas destruindo a minha vida.

Eu sequer as queria ali na minha cozinha.

Eu não queria que tivessem o poder de me manter longe dos meus filhos, de me manter longe da minha casa e dos meus cachorros ou do meu carro, nunca, nunca mais.

Se eu posso conjurar qualquer coisa, pensei, *vou conjurar um fim para isso.*

45

O primeiro passo para ter de volta a minha liberdade era fazer as pessoas começarem a entender que eu ainda era uma pessoa de verdade — e eu sabia que podia fazer isso mostrando mais da minha vida nas redes sociais. Comecei experimentando roupas novas e tirando fotos para o Instagram. Achei incrivelmente divertido. Mesmo que algumas pessoas online achem esquisito, não ligo. Quando você foi sexualizada a vida inteira, é bom estar totalmente no controle do seu guarda-roupa e da câmera.

Comecei a tentar me conectar com a minha criatividade e a seguir artistas musicais e visuais no Instagram. Acabei conhecendo um cara que fazia vídeos psicodélicos — um era apenas uma tela rosa com um tigre branco com listras rosa andando nela. Ao ver isso, senti a urgência natural de criar algo e comecei brincando com uma música. No começo, incluí o som de um bebê rindo. Achei que ficou diferente.

Hesam me disse: "Não coloque um bebê rindo!".

Segui o conselho dele e excluí o vídeo, mas um tempo depois outra conta postou um vídeo com um bebê rindo e eu fiquei com inveja. *Eu deveria ter postado!*, pensei. *Aquela estranha, bizarra risada de bebê era* minha *ideia!* Artistas são esquisitos, sabia?

Existiam tantas pessoas na indústria musical naquela época que pensavam que eu estava louca. Chegou a um ponto em que eu preferia ser "louca" e poder fazer o que eu quisesse do que ser "certinha" e fazer o que todo mundo me mandasse fazer sem poder me expressar. E, no Instagram, eu queria mostrar que existia.

Também comecei a rir mais — por causa de comediantes como Amy Schumer, Kevin Hart, Sebastian Maniscalco e Jo Koy. Comecei a sentir muito respeito por sua inteligência e espertaza, como eles usavam a linguagem para se colocar no lugar das pessoas e fazê-las rirem. Isso é uma dádiva. Ouvi-los usarem a própria voz — sendo indiscutivelmente fiéis a si mesmos — me lembrou de que eu podia fazer isso também, por meio de vídeos para as redes sociais ou mesmo de um texto. O humor me ajudou a não ser consumida pela amargura.

Sempre admirei as pessoas na indústria do entretenimento que eram perspicazes. Rir é a cura pra tudo. As pessoas riem dos meus posts porque as coisas que posto ou são inocentes ou estranhas, ou porque eu posso ser maldosa quando estou falando de pessoas que me machucaram. Talvez seja um despertar feminista. Acho que o que estou dizendo é que o mistério do meu verdadeiro eu é uma vantagem para mim — porque ninguém conhece!

Meus filhos riem de mim às vezes e, quando fazem isso, eu não me importo tanto.

Eles sempre me ajudaram a mudar minha visão de mundo. Desde pequenos, sempre viram as coisas de modo diferente e sempre foram muito criativos. Sean Preston é um gênio na escola

— é muito, muito inteligente. Jayden tem um talento nato para o piano; quando ele toca, fico arrepiada.

Antes da pandemia, eles ficavam comigo duas a três noites por semana e tínhamos jantares deliciosos. Eles sempre compartilhavam as coisas incríveis que faziam e contavam para mim o que os deixava empolgados.

"Mãe, vem ver esta pintura que eu fiz!", um deles me dizia. Eu fazia um comentário e eles respondiam: "Sim, mas, agora, mãe, olhe desta forma". E eu conseguia ver mais do que eles tinham feito. Eu amo meus filhos por sua profundidade e sua personalidade, por seus talentos e bondade.

Enquanto uma nova década tinha início, tudo estava começando a fazer sentido.

Então a covid-19 chegou.

Nos primeiros meses de lockdown, fiquei ainda mais caseira do que já era. Permaneci dias e semanas sentada em meu quarto, ouvindo audiolivros de autoajuda, olhando para a parede ou fazendo bijuterias, entediada ao extremo. Depois de ouvir uma tonelada de livros de autoajuda, passei a ouvir histórias, tudo que eu encontrava que tivesse no título a palavra "imaginação" — em especial, qualquer livro cujo narrador tivesse um sotaque britânico.

Mas, lá fora, a segurança imposta pelo meu pai continuava ditando as regras. Um dia eu estava na praia e tirei minha máscara. O segurança foi correndo me dar bronca. Levei um sermão e fiquei de castigo por semanas.

Por causa de como eram as quarentenas e sua agenda de trabalho, Hesam sequer esteve comigo.

Eu me senti muito sozinha, até senti falta da minha família.

Liguei para a minha mãe e disse: "Pessoal, quero ver vocês".

"Estamos fazendo compras agora, preciso ir! Te ligo mais tarde", ela respondeu.

E eles nunca foram me ver.

As regras do lockdown eram diferentes na Louisiana. Cada hora eles estavam em um lugar.

Chegou um momento em que desisti de falar com eles pelo telefone e fui até a Louisiana para vê-los. Eles pareciam tão livres ali.

Por que eu continuava falando com eles? Não tenho certeza. Por que continuamos em relacionamentos ruins? Uma coisa é certa: eu tinha medo deles e queria mostrar que estava me comportando. Legalmente, meu pai ainda era eu, e ele nunca hesitou em jogar isso na minha cara — e eu esperava que isso logo acabasse.

Foi durante esse período com minha família que descobri que, enquanto eu estive no hospital psiquiátrico, eles jogaram fora muitas coisas minhas que estavam na casa da minha mãe. As bonecas Madame Alexander que eu colecionei quando era criança foram para o lixo. E, também, três anos de escritos pessoais. Eu tinha um fichário com muitas poesias que eram importantes para mim. Tudo no lixo.

Quando vi as estantes vazias, senti uma tristeza arrasadora. Eu me lembrava de páginas e mais páginas que havia escrito em meio a lágrimas. Nunca quis publicar esse material ou algo do tipo, mas era importante para mim. E minha família jogou tudo no lixo, da mesma forma que havia me descartado também.

Então, me recompus e pensei: *Posso comprar um caderno e começar tudo de novo. Passei por muita coisa. O motivo de eu estar viva hoje é que eu sei o que é alegria.*

Chegou a hora de encontrar Deus novamente.

Naquele momento, fiz as pazes com a minha família — e com isso quero dizer que eu percebi que nunca mais queria vê-los de novo, e estava tranquila com isso.

46

O advogado indicado pela corte e que estava comigo por treze anos nunca me ajudou de verdade, mas, durante a pandemia, comecei a imaginar de que maneira talvez eu pudesse usá-lo para meu proveito. Com pontualidade religiosa, comecei a falar com ele duas vezes por semana, apenas para compartilhar as minhas opiniões. Ele estava trabalhando para mim ou para meu pai e Lou?

Enquanto ele falava sobre um assunto, pensei: *Você parece não acreditar no que eu sei: e sei aonde eu vou chegar com isto. Eu vou até o fim. E posso te dizer que você não estará comigo.*

Por fim, virei de tudo de ponta-cabeça. Honestamente, não havia mais nada que ele podia fazer por mim. Eu tinha que assumir o controle.

Eu tive de me manter quieta publicamente sobre tudo, mas, dentro de mim, rezava para acabar. E eu digo rezando de verdade...

★ ★ ★

Então, na noite de 22 de junho de 2021, fiz uma ligação para a polícia, da minha casa, para reportar abuso da curatela do meu pai.

O espaço entre o momento em que eu decidi forçar o final da curatela e quando ela finalmente acabou foi um período difícil em que fiquei no limbo. Eu não sabia como as coisas terminariam. E, enquanto isso, eu não podia dizer "não" ao meu pai ou seguir meu caminho ainda, e parecia que todos os dias um novo documentário sobre mim saía em algum serviço de streaming. Isso era o que eu estava passando quando fiquei sabendo que minha irmã iria fazer o lançamento do livro dela.

Eu ainda estava sob controle do meu pai. Não podia dizer nada para me defender. Meu desejo era explodir.

Ver os documentários feitos sobre mim foi muito difícil. Eu entendo que as pessoas não sejam más, mas me machucou o fato de alguns amigos antigos falarem com diretores sem me consultar primeiro. Me chocou que pessoas em que eu confiava aceitaram serem filmadas. Não entendi como puderam falar sobre mim pelas minhas costas daquele jeito. No lugar delas, eu teria ligado para saber se tudo bem falar essas coisas. Havia tantas suposições sobre o que eu deveria ter pensado ou sentido.

47

"Senhorita Spears? Fique à vontade para se dirigir a mim."

A voz ressoou pelo telefone. Eu estava na minha sala de estar. Era uma tarde comum de verão em Los Angeles.

Em 23 de junho de 2021, finalmente eu pude falar com a juíza de Los Angeles a respeito da curatela. E eu sabia que o mundo todo estava ouvindo. Durante dias fiquei ensaiando o que ia falar, mas agora que o momento tinha chegado, estava me sentindo sobrecarregada. Até porque eu sabia, desde que havia solicitado que essa audiência fosse aberta ao público, que milhões de pessoas estariam ouvindo a minha voz tão logo eu tivesse terminado de falar.

A minha voz. Ela estava em todos os lugares, no mundo inteiro — nas rádios, na televisão, na internet —, mas algumas coisas ainda estavam reprimidas em mim. A minha voz havia sido usada para e contra mim tantas vezes que eu tinha medo de que ninguém fosse reconhecê-la agora que eu falava livremente. E se eles me chamassem de louca? E se dissessem que eu estava mentindo? E se eu dissesse algo errado e tudo desse errado? Escrevi tantas versões desse depoimento. Tentei milhões de vezes ser clara, para dizer o que eu precisava dizer, mas, naquele momento, eu estava tão nervosa.

E, então, apesar do medo, me lembrei de que ainda existiam coisas que persistiam em mim: o meu desejo de que as pessoas entendessem pelo que eu havia passado; a minha fé de que tudo aquilo poderia mudar; a minha crença de que eu tinha o direito de experimentar a felicidade; a clareza de que eu merecia a minha liberdade.

Essa compreensão, sentida de maneira profunda, era de que a mulher em mim ainda era forte o suficiente para lutar por aquilo que era certo.

Procurei Hesam, que estava sentado ao meu lado, no sofá. Ele apertou a minha mão.

E aí, pela primeira vez no que pareceu uma eternidade, comecei a contar a minha história.

Contei à juíza: "Eu tenho mentido e falado para o mundo inteiro que estou bem e estou feliz. É uma mentira. Eu pensei que, talvez, se dissesse isso, talvez, eu pudesse ficar feliz, porque eu tenho vivido em negação... mas, agora, estou contando a verdade, o.k.? Não estou feliz. Não consigo dormir. Estou com raiva demais. E estou deprimida. Eu choro todos os dias".

Continuei: "Eu não bebo mais álcool. Eu *deveria* beber álcool, considerando tudo que eles me fazem passar".

Disse: "Eu queria poder ficar no telefone com você para sempre, porque quando eu desligar, tudo que eu ouvirei serão os nãos. E, então, do nada, eu sou encurralada por todos, sofro humilhações, me sinto excluída e sozinha. E estou cansada de me sentir sozinha. Eu mereço ter os mesmos direitos que todo mundo, de ter filhos, uma família, qualquer coisa, e outras mais. E isso é tudo que eu queria dizer. E agradeço por deixar eu falar hoje com a senhora".

Mal respirei. Era a minha primeira oportunidade de falar publicamente em tanto tempo e milhões de coisas precisavam ser desabafadas. Aguardei a resposta da juíza. Esperava ter um indício do que ela ia decidir.

"Eu apenas quero lhe dizer que estou sensibilizada com tudo que você disse e com todos seus sentimentos. Eu sei que foi necessária muita coragem para você dizer tudo que precisou dizer hoje, e quero que saiba que a corte aprecia você ter falado conosco ao telefone e compartilhado os seus sentimentos."

Ouvir isso me deu uma sensação de alívio: finalmente me ouviram depois de treze anos.

Sempre me esforcei demais. Eu aguentei ser controlada durante muito tempo. Mas quando a minha família me colocou naquele hospital, ultrapassou os limites.

Fui tratada como uma criminosa. E eles me fizeram pensar que eu merecia isso. Fizeram com que eu me esquecesse do meu valor e da minha importância.

De todas as coisas que fizeram comigo, afirmo que a pior delas foi me fazerem questionar a minha fé. Eu nunca tive ideias fervorosas sobre religião. Só sabia que existia algo maior que eu. Sob o controle deles, parei de acreditar em Deus por um tempo. Mas então, quando chegou a hora de acabar com a curatela, percebi uma coisa: você não pode ferrar com uma mulher que sabe rezar. Rezar *de verdade*. Tudo o que fiz foi rezar.

48

Eu tinha sido enganada nos últimos treze anos. O mundo inteiro sabia que eu precisava de um novo advogado e, finalmente, me dei conta da mesma coisa. Era hora de recuperar o controle da minha própria vida.

Entrei em contato com minha equipe de mídia social e meu amigo Cade para me ajudarem a encontrar um. Foi assim que eu encontrei o Mathew Rosengart, e ele era incrível. Um eminente ex-procurador federal que agora tinha um escritório de advocacia, uma lista de clientes celebridades como Steven Spielberg e Keanu Reeves, e experiência com casos desafiadores de pessoas famosas. Conversamos várias vezes por telefone e nos encontramos no início de julho em minha casa com piscina. Uma vez que Mathew estava comigo, senti que estava me aproximando do fim. Algo tinha que acontecer. Não podia mais continuar parado como estava. Mas, por estar dentro da lei, tínhamos que aguardar muito e traçar estratégias.

Ele estava chocado por terem me negado a escolha de meu próprio advogado por tanto tempo. Ele disse que mesmo pessoas que cometeram crimes violentos podiam escolher seus próprios advogados, e também me disse que odiava bullying. Fiquei feliz porque eu via meu pai, Lou e Robin como valentões e os queria fora da minha vida.

Mathew disse que iria até o juiz apresentar uma petição para remover meu pai como responsável pela curatela primeiramente, então, seria mais fácil tentar encerrar a curatela. Algumas semanas depois, em 26 de julho, ele peticionou para retirar meu pai como curador. Depois de uma grande audiência no tribunal, em 29 de setembro, meu pai foi suspenso como curador. Já estava em todos os noticiários antes que Mathew pudesse me ligar depois do tribunal.

Eu senti um alívio indescritível tomar conta de mim. O homem que havia me aterrorizado quando criança e mandou em mim quando adulta, que, mais do que ninguém, fez de tudo para enfraquecer a minha autoconfiança, não controlava mais a minha vida.

Àquela altura, com meu pai fora, Mathew me disse que iríamos aproveitar o momento, e deu entrada para, também, finalizar a curatela.

Eu estava em um resort no Taiti em novembro, quando Mathew me ligou para contar a novidade de que eu não estava mais sob a curatela. Ele ainda me disse que quando eu voltasse de viagem, acordaria pela primeira vez, em treze anos, como uma mulher livre. Ainda assim, eu não conseguia acreditar nisso quando Mathew me ligou assim que a audiência na corte havia terminado e me disse que tudo tinha se resolvido. Eu estava livre.

Mesmo que tenha sido a estratégia dele que nos garantiu a vitória, ele me disse que eu merecia o crédito também. Mathew disse que, ao dar o meu testemunho, eu me libertei e provavelmente ajudei outras pessoas que estavam sob curatelas injustas. Depois de ter meu pai levando crédito por tudo que fiz por tanto tempo, foi muito importante para mim ter este homem me dizendo que eu fiz a diferença em minha própria vida.

E, agora, finalmente, era a *minha* própria vida.

Ser controlada me deixou com tanta raiva em nome de qualquer um que não tenha controle sobre seu próprio destino.

"Eu sou muito grata, de verdade, todos os dias... não estou aqui para me vitimizar", eu disse no Instagram depois que a curatela terminou. "Convivi com vítimas minha vida inteira quando era criança. Por isso que saí de casa. E trabalhei por vinte anos e ralei muito... Espero que a minha história cause impacto e promova mudanças nesse sistema legal corrompido."

Nos meses seguintes desde aquela ligação, tenho tentado reconstruir a minha vida, dia após dia. Estou tentando aprender a cuidar de mim mesma e a me divertir também.

Nas férias em Cancún, pude fazer algo que amei há um tempo atrás — andar de jet ski. A última vez foi em Miami com os meninos, quando fui rápida demais, tentando acompanhá-los. Aquelas crianças são impulsivas em um jet ski! Eles dirigiam rápido demais, saltando sobre as ondas. Logo atrás deles, eu estava batendo com força nas ondas — era um tal de *boom*, *boom*, *boom* — e acabei caindo e machucando o meu braço.

Sem querer repetir aquela experiência, em maio de 2022, meu assistente dirigiu e eu fui de acompanhante. Descobri que é muito melhor quando alguém dirige para você. Desta vez, eu pude sentir o poder do motor, pude aproveitar estar no meio do azul do oceano, e pude seguir na exata velocidade que desejava.

Esse é o tipo de coisa que eu faço agora — tento me divertir e ser gentil comigo mesma, fazendo as coisas no meu ritmo. E, pela primeira vez em muito tempo, me permito confiar outra vez.

Escuto música todos os dias. Quando ando pela minha casa, cantando, eu me sinto completamente livre, completamente à vontade, completamente feliz. Não importa se eu estiver desafinando. Cantar me faz sentir autoconfiante e forte da mesma forma que o exercício físico, ou rezar. (Não se esqueça: sua língua é sua espada.) Qualquer coisa que eleve o ritmo do seu coração é algo bom. A música é tudo isso e também uma conexão com Deus. Meu coração mora aí.

Quando tinha acesso total a um estúdio em Malibu, amava ir lá regularmente. Um dia, escrevi seis músicas. Música em seu estado mais puro é quando sou eu compondo sozinha. Eu poderia ir para um estúdio outra vez, algum dia, e só me divertir, mas, por enquanto, ainda não penso em voltar a gravar.

Mudei a minha forma de pensar quando recebi um convite para gravar uma música com um artista que admirei a vida toda: Sir Elton John. Ele é um dos meus artistas preferidos de todos os tempos. Eu o conheci em uma festa do Oscar, dez anos atrás, e nos demos muito bem. E agora ele me mandou a mais doce mensagem por vídeo, perguntando se eu tinha interesse em colaborar com uma de suas músicas mais icônicas. "Hold Me Closer" seria uma versão modernizada e cantada em dueto do hit "Tiny Dancer", com pequenos trechos de outras músicas dele também.

Eu me senti tão honrada. Como eu, Elton John também passou por muita coisa publicamente. Ele tem uma compaixão inacreditável. Um homem maravilhoso em todos os níveis.

A parceria ficou ainda mais significativa porque, quando eu era criança, ouvia "Tiny Dancer" no carro, na Louisiana, enquanto ia e voltava de minhas aulas de dança e de ginástica.

Sir Elton foi gentil e me deixou completamente à vontade. Assim que combinamos uma data para gravar a música, fui até o estúdio, que ficava na casa do produtor em Beverly Hills.

O estúdio ficava no porão da casa. Eu nunca tinha visto um lugar organizado daquela forma: era um estúdio aberto com guitarras, pianos, mesas de som, tudo pronto e a postos. Eu estava nervosa porque seria a primeira vez que o mundo ouviria a minha voz cantando algo novo em seis anos, mas eu acreditava na música e em mim, então continuei.

De frente ao microfone, acelerei o tempo, e comecei a cantar. Depois de algumas horas, tínhamos terminado. Eu havia acabado de gravar um dueto com um dos meus artistas favoritos que cantava uma de minhas canções favoritas. Eu estava empolgada, ansiosa e emocionada nas semanas até o lançamento.

Antes da curatela, eu ia para o palco e todo mundo ficava olhando para mim esperando meu sinal para começar o show. Eu mantinha meu indicador erguido até dizer: "É agora". Sob a curatela, eu sempre tinha que esperar alguém. Me diziam: "Vamos te avisar quando chegar a hora". Eles me tratavam como se eu não valesse nada. Odiava isso.

Ao longo da curatela, fui ensinada a me sentir quase frágil demais, assustada demais. Esse foi o preço que paguei estando sob a curatela. Eles roubaram muito da minha feminilidade, da minha espada, da minha essência, da minha voz, a capacidade de dizer: "Foda-se". E eu sei que soa mal, mas há algo crucial sobre isso. Não subestime seu poder.

"Hold Me Closer" foi lançada em 26 de agosto de 2022. No dia seguinte, estávamos em primeiro lugar em quarenta países. Meu primeiro lugar e minha música a ficar mais tempo nas paradas em quase dez anos. E sob os meus termos. Totalmente no controle. Os fãs disseram que eu soava incrível na canção. Compartilhar seu trabalho com o mundo é aterrorizante. Mas, de acordo com a minha experiência, sempre vale a pena. Gravar "Hold Me Closer" e divulgá-la para o mundo foi uma experiência fantástica. Não me senti bem — me senti incrível.

 Dar passos novos na minha carreira musical não é meu foco no momento. Agora, preciso colocar a minha vida espiritual em ordem, prestar atenção às pequenas coisas, ir com calma. Não é o momento de ser alguém que outras pessoas querem que eu seja; na verdade, é hora de eu me encontrar.

 À medida que fui envelhecendo, comecei a gostar mais do meu tempo sozinha comigo mesma. Ser uma artista foi ótimo, mas nos últimos cinco anos minha paixão em estar diante de uma plateia ao vivo diminuiu. Eu faço isso apenas para mim mesma agora. Sinto Deus mais quando estou sozinha.

 Não sou santa, mas conheço Deus.

 Tenho que buscar meu eu espiritual. E isso vai levar um tempo. E já estou curtindo. Mudar é bom. Hesam e eu sempre rezamos juntos. Eu olho para ele — sua constância em fazer exercícios, o fato de ser um bom homem, estar saudável e cuidar de mim, me ajudar a aprender como podemos cuidar um do outro.

Ele é uma inspiração, e eu sou grata. O momento do fim da curatela foi perfeito para nosso relacionamento: pudemos estabelecer uma nova vida juntos, sem limitações, e casar. Nosso casamento foi uma linda celebração do quanto passamos juntos e o quanto desejamos a felicidade um do outro.

No dia em que a curatela acabou, senti tantas emoções: choque, alívio, euforia, tristeza, alegria.

Eu me senti traída pelo meu pai e, de forma muito triste, pelo resto da minha família. Minha irmã e eu deveríamos ser o apoio uma da outra, mas, infelizmente, não foi isso o que aconteceu. Enquanto eu lutava contra a curatela e recebia muita atenção da imprensa, ela estava escrevendo um livro tirando vantagem sobre a situação. Criou histórias obscenas; muitas delas me machucaram e foram revoltantes. Eu estava realmente decepcionada.

As irmãs não deveriam ser capazes de confessar seu medo ou vulnerabilidade umas às outras sem que isso mais tarde fosse usado como evidência de instabilidade?

Não pude deixar de sentir que ela não sabia pelo que eu tinha passado. Parecia que ela achava que havia sido fácil para mim porque tive muita fama tão jovem, e que me culpava pelo meu sucesso e tudo o que veio com ele.

Jamie Lynn claramente sofreu na casa de nossa família também. Cresceu filha de um divórcio, o que não aconteceu comigo. Parece que nossos pais não tiveram atenção e cuidado com ela, e sei que foi difícil tentar cantar, atuar e seguir seu próprio caminho no mundo à sombra de uma irmã que recebia não apenas a maior parte da atenção da família, mas também a atenção de muitas pessoas no mundo. Me compadeço com ela por todos esses motivos.

Mas acho que Jamie Lynn não entende totalmente como éramos desesperadamente pobres antes de ela nascer. Por causa do dinheiro que eu trouxe para a família, ela não ficou desamparada diante do nosso pai, como minha mãe e eu ficamos na década de 1980. Quando você não tem nada, essa dor é intensificada pela sua incapacidade de fugir da situação. Minha mãe e eu tivemos que testemunhar a feiura e a violência sem acreditar que havia outro lugar para onde ir.

Ela sempre será a minha irmã e a amo e amo sua linda família. Quero tudo do melhor para eles. Ela passou por muita coisa, incluindo uma gravidez na adolescência, divórcio e o acidente quase fatal da filha. Ela falou a respeito da dor de ter crescido sob a minha sombra. Estou trabalhando para sentir mais compaixão que raiva por ela e por todos que eu sinto que erraram comigo. Não é fácil.

Já tive sonhos em que June me diz que sabe que machucou meu pai, que, depois, me machucou. Eu senti seu amor e que ele mudou. Espero que um dia eu possa me sentir melhor em relação ao resto da minha família também.

Minha raiva tem se manifestado fisicamente, em especial com enxaquecas.

Quando eu as tenho, não quero ir ao médico porque ter ido a médicos e mais médicos ao longo dos anos me deixou com fobia deles. E quero cuidar das coisas por conta própria. Quando se trata de enxaquecas, eu não falo sobre elas porque sou supersticiosa: acho que, se o fizer, serei atormentada ainda mais por elas.

Quando estou com enxaqueca, não consigo ficar em locais iluminados e não posso me mexer. Eu fico parada, no escuro. Qualquer luz faz minha cabeça latejar e parece que vou desmaiar — é extremamente doloroso. Preciso dormir por um dia e meio. Até recentemente eu nunca tinha tido uma enxaqueca na minha vida inteira. Meu irmão costumava reclamar das enxaquecas, e eu achava que ele estava exagerando a respeito de quão ruins elas eram. Agora, sinto muito por tudo que disse duvidando dele.

Para mim, uma enxaqueca é pior do que uma virose. Pelo menos, você pode pensar direito mesmo com o vírus dentro de você. Sua cabeça pode te ajudar a entender o que você precisa fazer, quais filmes quer ver. Mas quando você tem uma enxaqueca, fica incapaz de fazer qualquer coisa porque seu cérebro se foi. As enxaquecas são apenas uma parte dos danos físicos e emocionais que eu tenho agora, que não vivo mais sob a curatela. Não acho que a minha família entende os danos reais que eles causaram.

Por treze anos, eu não podia comer o que queria, dirigir, gastar meu dinheiro como queria, beber álcool ou mesmo café.

A liberdade de fazer o que quero me devolveu minha feminilidade. Agora que estou nos quarenta, estou experimentando as coisas como se fosse a primeira vez. Sinto que a mulher em mim foi diminuída por tempo demais.

Agora, finalmente, estou pronta para lutar e viver de novo. Talvez eu também possa pecar na Cidade do Pecado.

49

Comecei a experimentar os privilégios de ser uma mulher adulta pela primeira vez em muitos anos. Me sentia como se tivesse ficado submersa na água por tanto tempo, nadando raríssimas vezes até a superfície para pegar um pouco de ar e um pouco de alimento. Quando reconquistei a minha liberdade, essa foi a deixa para eu voltar para a terra — e, quando eu quiser, tirar umas férias, bebericar um coquetel, dirigir meu carro, ir a um resort ou só ficar olhando para o mar.

Estou vivendo um dia de cada vez, tentando me sentir grata pelas pequenas coisas. Sou grata por meu pai não estar na minha vida. Não tenho mais que sentir medo dele. Se eu engordar, será um alívio saber que ninguém vai gritar comigo, dizendo: "Você precisa dar um jeito rápido nisso!". Posso comer chocolate de novo.

Assim que meu pai já não estava mais por perto me obrigando a comer o que ele queria, meu corpo ficou mais forte e o meu brilho voltou. Eu estava confiante e novamente comecei a gostar da minha aparência. Adoro brincar de me vestir no Instagram.

Sei que muitas pessoas não compreendem por que eu amo tirar fotos de mim mesma nua ou usando vestidos novos. Mas acho que se elas tivessem sido fotografadas por outras pessoas milhares de vezes, entenderiam a felicidade que eu sinto ao posar dessa maneira, me sentindo sexy e eu mesma me fotografando, fazendo o que quiser. Eu nasci nua e, de verdade, sinto que o peso do mundo tem estado sobre os meus ombros. Eu queria me ver mais leve e mais livre. Quando era um bebê, eu tinha uma vida inteira pela frente, e é assim que me sinto agora, como uma página em branco.

Eu realmente sinto que renasci. Adoro sentir o som saindo do meu corpo e voltando para ele quando canto enquanto ando pela casa, do jeito que eu fazia quando era criança. Estou novamente encontrando a felicidade que me fez querer cantar. Esse sentimento é sagrado para mim. Faço isso por mim, mais ninguém.

Sempre me perguntam quando voltarei a fazer shows. Confesso que estou com dificuldades para responder a essa questão. Estou curtindo dançar e cantar do jeito que costumava fazer quando era mais nova e não tento fazer isso para o benefício da minha família, nem para conseguir algo, faço isso por mim mesma e pelo meu amor genuíno por cantar e dançar.

Somente agora sinto que estou voltando a confiar em outras pessoas e recuperando minha fé em Deus. Sei o que me faz feliz e o que me traz felicidade. Procuro refletir sobre os lugares e os pensamentos que me permitem experimentar isso. Eu amo lugares bonitos, meus filhos, meu marido, meus amigos, meus bichos de estimação. Eu amo os meus fãs.

Quando se trata dos fãs, às vezes as pessoas me perguntam sobre o meu relacionamento especial com a comunidade LGBTQIAP+.

Para mim, é tudo sobre amor — amor incondicional. Meus amigos gays sempre me protegeram, talvez porque soubessem que eu era inocente. Não é tolice, é muito gentil. E acho que muitos dos gays ao meu redor me apoiaram. Eu podia até sentir isso no palco quando eles estavam ao meu lado. Se eu achasse que não tinha feito uma boa apresentação, poderia contar com os meus amigos, que percebiam que não me sentia bem com isso e ainda assim me diziam: "Você foi muito bem!". Esse tipo de amor significa tudo para mim.

Algumas das minhas noites favoritas foram quando eu saía com os meus dançarinos. Uma vez, na Europa, fomos a um clube gay onde senti que todos ao meu redor na pista de dança eram *muito altos*. O clube tocava uma ótima música eletrônica e eu amei. Dancei até as seis da manhã e senti que o tempo voou. Meu coração estava tão vivo. Foi como aquele momento místico no Arizona — era uma experiência espiritual estar com pessoas que eu sentia que me amavam incondicionalmente. Com amigos assim, não importa o que você faça ou diga ou quem conheça. Isso é amor verdadeiro.

Me lembro também de uma vez na Itália em que fui a um drag show onde algumas drag queens estavam performando as minhas músicas. Foi tão incrível. As artistas eram lindas. Elas estavam vivendo o momento, e era nítido que adoravam se apresentar. Elas tinham tanta paixão e motivação, e eu respeito muito isso.

Quando fiquei livre da curatela, fui para os dois lugares a que eu teria ido nas férias que perdi: Maui e Cancún. Nadei no mar;

fiquei curtindo o sol; brinquei com meu novo cachorrinho, Sawyer; e passeei de barco com Hesam. Li muito e escrevi este livro. Enquanto viajava, descobri que estava grávida. Durante anos desejei ter outro filho. Por um bom tempo, Hesam e eu queríamos muito começar a nossa família. Admiro o equilíbrio dele. Amo que ele não ingere álcool. Ele é um presente de Deus. E descobrir que nós estávamos grávidos me deixou tão eufórica.

E eu também estava com medo. Quando engravidei de Sean Preston e de Jayden, tive depressão. Dessa vez, a gravidez pareceu igual em vários aspectos — um pouco de enjoo, fome e sexo — então imaginei que a depressão também voltaria. Eu me sentia um pouco lenta. Gosto de estar ativa e de continuar assim. Mas a minha vida estava tão melhor e eu tinha tanto apoio que me senti confiante de que poderia passar por isso.

Mas, no fim do primeiro trimestre, sofri um aborto espontâneo. Eu tinha ficado tão feliz que contei ao mundo sobre a gravidez e, agora, precisava contar isso também. Postamos no Instagram: "É com o mais profundo pesar que anunciamos que perdemos nosso bebê milagroso. Este é um momento devastador para qualquer pai ou mãe. Talvez, a gente deveria ter esperado mais para fazer o anúncio inicial. No entanto, estávamos tão empolgados para compartilhar essa boa notícia. O amor que sentimos um pelo outro é a nossa força. Continuaremos tentando aumentar a nossa linda família. Somos gratos pelo apoio de todos. Gentilmente, pedimos privacidade durante este período difícil".

Fiquei arrasada por ter perdido o bebê. Mais uma vez, apesar de tudo, usei a música para me ajudar a refletir e ter perspectiva. Cada música que eu canto ou danço me permite contar uma história diferente e ter uma nova válvula de escape. Ouvir música no celular me ajuda a lidar com a raiva e a tristeza que enfrento como adulta.

Ultimamente tenho tentado não pensar muito na minha família, mas me pergunto o que eles vão achar deste livro. Por ter sido silenciada por treze anos, me pergunto se, ao me verem falando abertamente, por acaso pensaram: *Talvez ela tenha razão.* Acredito que eles sintam peso na consciência, e que, no fundo, sabem que o que fizeram comigo foi muito, muito errado.

Depois de todos esses anos fazendo o que me mandavam e sendo tratada da forma como fui, passei a ver que tipo de pessoa quero ou não ter por perto. Grande parte da mídia foi cruel comigo, e isso não mudou só porque eu não estou mais sob a curatela. Tem havido muita especulação sobre como eu estou. Sei que meus fãs se importam. Eu estou livre agora. Estou apenas sendo eu mesma e tentando me curar. Finalmente posso fazer o que quero, quando quero. Mas nem por um minuto eu acho que as coisas serão para sempre assim.

Liberdade significa ser boba, pateta e se divertir nas redes sociais. Liberdade significa dar um tempo do Instagram sem que as pessoas liguem para a emergência. Liberdade significa poder cometer erros e aprender com eles. Liberdade significa que não tenho a obrigação de me apresentar para ninguém — no palco ou fora dele. Liberdade significa que posso ser tão lindamente imperfeita quanto qualquer outra pessoa. E liberdade significa ter a capacidade, e o direito, de buscar a alegria do meu jeito e como eu quiser.

Levou bastante tempo e deu muito trabalho até que eu me sentisse pronta para contar a minha história. Espero que ela inspire as pessoas de algum modo e possa tocar corações. Desde que me libertei, tive que construir uma identidade totalmente distinta. Eu tive que dizer: *Espera, essa é quem eu fui — uma pessoa passiva e agradável. Uma garota. E esta é quem eu sou agora — uma pessoa forte e confiante. Uma mulher.*

Quando eu era uma garotinha deitada sobre as pedras quentinhas do quintal dos meus vizinhos, eu tinha grandes sonhos. Me sentia calma e no controle. Eu sabia que poderia realizar meus sonhos. Por muito tempo, nem sempre pude fazer o mundo parecer do jeito que eu queria, mas, de muitas maneiras, posso fazer isso agora. Não consigo mudar o passado, mas não preciso mais ficar sozinha ou com medo. Já passei por tanta coisa desde a época em que passeava pelos bosques da Louisiana quando criança. Criei música, viajei o mundo inteiro, me tornei mãe, encontrei o amor e o perdi e o encontrei novamente. Já faz um tempo desde que me senti verdadeiramente presente na minha própria vida, com o meu próprio poder, com a minha feminilidade. Mas agora eu estou aqui.

AGRADECIMENTOS

Se você me segue no Instagram, deve ter pensado que este livro seria escrito com emojis, não pensou? 🛡️🛡️🛡️🛡️🛡️🛡️

Agradeço à equipe que trabalhou tanto para me ajudar a trazer o meu livro de memórias ao mundo: Cade Hudson, Mathew Rosengart, Cait Hoyt; meus colaboradores (vocês sabem quem são); e Jennifer Bergstrom, Lauren Spiegel e a todos da Gallery Books.

Aos meus fãs, obrigada: vocês têm o meu amor e a minha eterna gratidão. Este livro é para vocês.

Fontes *Bembo, Minerva Modern*
Papel *Pólen bold 90 g/m²*
Impressão *Ipsis*